Complete chord
songbook

Published by
Wise Publications
14-15 Berners Street,
London, W1T 3LJ, UK.

Exclusive distributors:
Music Sales Limited,
Distribution Centre, Newmarket Road,
Bury St Edmunds, Suffolk,
IP33 3YB, UK.
Music Sales Pty Limited
120 Rothschild Avenue, Rosebery,
NSW 2018, Australia.

Order No. AM989989
ISBN 978-1-84772-020-7

This book © Copyright 2007
Wise Publications,
a division of Music Sales Limited.

Compiled by Nick Crispin.
Arranged by Matt Cowe.
Music processed by Paul Ewers Music Design.
Edited by Sam Harrop.

Printed in the EU.

www.musicsales.com

WISE PUBLICATIONS
part of The Music Sales Group
London / New York / Paris / Sydney / Copenhagen / Berlin / Madrid / Tokyo

the **KILLERS**
Selected UK discography

ALBUMS:

HOT FUSS (14/11/2005)
Vertigo CD 9875736

Jenny Was A Friend Of Mine/Mr Brightside/
Smile Like You Mean It/Somebody Told Me/
All These Things That I've Done/Andy, You're A Star/
On Top/Glamorous Indie Rock & Roll/Believe Me Natalie/
Midnight Show/Everything Will Be Alright

SAM'S TOWN (02/10/2006)
Vertigo CD 1706722

Sam's Town/Enterlude/When You Were Young /
Bling (Confession Of A King)/For Reasons Unknown/
Read My Mind/Uncle Jonny/Bones/My List/
This River Is Wild/Why Do I Keep Counting?/ Exitlude/
Where The White Boys Dance (Bonus Track)

SINGLES:

Somebody Told Me (15/03/2004)
7" (Lizard King LIZARD009X)
Somebody Told Me/The Ballad Of Michael Valentine
CD (Lizard King LIZARD009)
Somebody Told Me/The Ballad Of Michael Valentine/
Under The Gun

Somebody Told Me (Re-release: 10/01/2005)
CD1 (Lizard King LIZARD014CD1)
Somebody Told Me/Show You How
CD2 (Lizard King LIZARD014CD2)
Somebody Told Me /Somebody Told Me (Mylo Mix)/
Somebody Told Me (King Unique Vocal Mix)/
U-MYX Enhanced Section

Mr Brightside (24/05/2004)
7" (Lizard King LIZARD010X)
Mr Brightside/Who Let You Go
CD1 (Lizard King LIZARD010CD1)
Mr Brightside/Change Your Mind
CD2 (Lizard King LIZARD010CD2)
Mr Brightside (Album Version)/Somebody Told Me
(Insider Remix)/Midnight Show (SBN Live Session)/
Mr Brightside (Video)

All These Things That I've Done (30/08/2004)
7" (Lizard King LIZARDD012X)
All These Things That I've Done /
Andy, You're A Star (Radio1 Session)
CD (Lizard King LIZARD012)
All These Things That I've Done/Why Don't You Find Out For
Yourself (Radio 1 Session)/All These Things That I've Done
(Radio Edit)/All These Things That I've Done (video)

Smile Like You Mean It (02/05/2005)
7" (Lizard King / LIZARD015X)
Smile Like You Mean It/Ruby, Don't Take Your Love
To Town (Radio 1 Session)
CD (Lizard King / LIZARD015)
Smile Like You Mean It/Get Trashed

When You Were Young (18/09/2006)
7" (Vertigo 1706721)
When You Were Young/Where The White Boys Dance
CD (Vertigo 1707658)
When You Were Young/All The Pretty Faces

Bones (27/11/2006)
7" (Vertigo 1717120)
Bones/Daddy's Eyes
CD (Vertigo 1717078)
Bones/Daddy's Eyes

A Great Big Sled (05/12/2006)
Download Only Christmas Single

Read My Mind (26/02/2007)
7" (Vertigo 1724568)
Read My Mind/Read My Mind (Steve Bays Remix)
CD (Vertigo 1724567)
Read My Mind/Read My Mind (Pet Shop Boys
Stars Are Blazing Mix)

For Reasons Unknown (25/06/2007)
7" (Vertigo 1736031)
For Reasons Unknown/Sam's Town
(Live From Abbey Road)
CD (Vertigo 1736030)
For Reasons Unknown/Romeo And Juliet
(Live From Abbey Road)

SOUNDTRACKS:

SPIDERMAN 3: OST
CD (WARNERS 9362499791)
Move Away

Relative Tuning

The guitar can be tuned with the aid of pitch pipes or dedicated electronic guitar tuners which are available through your local music dealer. If you do not have a tuning device, you can use relative tuning. Estimate the pitch of the 6th string as near as possible to E or at least a comfortable pitch (not too high, as you might break other strings in tuning up). Then, while checking the various positions on the diagram, place a finger from your left hand on the:

5th fret of the E or 6th string and **tune the open A** (or 5th string) to the note **(A)**

5th fret of the A or 5th string and **tune the open D** (or 4th string) to the note **(D)**

5th fret of the D or 4th string and **tune the open G** (or 3rd string) to the note **(G)**

4th fret of the G or 3rd string and **tune the open B** (or 2nd string) to the note **(B)**

5th fret of the B or 2nd string and **tune the open E** (or 1st string) to the note **(E)**

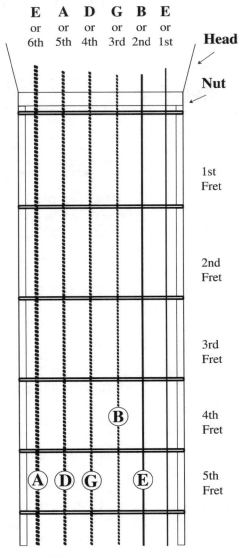

Reading Chord Boxes

Chord boxes are diagrams of the guitar neck viewed head upwards, face on as illustrated. The top horizontal line is the nut, unless a higher fret number is indicated, the others are the frets.

The vertical lines are the strings, starting from E (or 6th) on the left to E (or 1st) on the right.

The black dots indicate where to place your fingers.

Strings marked with an O are played open, not fretted. Strings marked with an X should not be played.

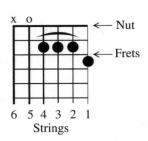

The curved bracket indicates a 'barre' - hold down the strings under the bracket with your first finger, using your other fingers to fret the remaining notes.

All The Pretty Faces

Words & Music by
Brandon Flowers, Dave Keuning, Mark Stoermer & Ronnie Vannucci

Melody:

Help me out, I need____ it,

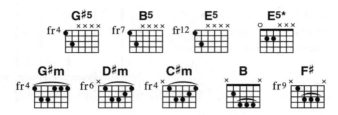

Tune guitar down a semitone

Intro

‖: G#5 B5 | E5 | G#5 B5 | E5* :‖

‖: E5* B5 | G#5 | E5* B5 | G#5 :‖

G#m   D#m
    Help me out, I need it,

                        C#m   D#m
I don't feel like loving you no more.

                  G#m   B5   E5   G#5   B5   E5*
I don't feel like loving you no more.

| G#5 B5 | E5 | G#5 B5 | E5   ‖

Verse 1

   G#5   B5   E5   G#5
    Help me out, I need it,

      B5   E5*   G#5
I don't feel like touching her no more.

      B5   E5
Help me out, I need it,

    G#5   B5   E5*
I said I don't feel like touching her no more.

Pre-chorus 1

  E5*   B5   G#5
    Well how did it happen?

       E5*   B5   G#5   E5*
I spent two long years in a strange strange land.

    B5   G#5
Well how did it happen?

     E5*   B5   G#5
I'd do any - thing just to be your man.

Chorus 1

        B   **C♯m**   **D♯m**
You're not going anywhere with - out me.

         F♯   **G♯m**
These trials don't prepare the air and no,

                    C♯m   **D♯m**
You're not telling anyone a - bout me.

         F♯
And you shake and you bleed while I sing my song.

Link 1

    G♯5   **B5**   **E5**   **G♯5**   **B5**   **E5***
I don't feel like, I don't feel like, I don't feel like loving you.

    G♯5   **B5**   **E5**   **G♯5**   **B5**   **E5***
I don't feel like, I don't feel like, I don't feel like loving you.

Verse 2

    G♯5   **B5**   **E5**   **G♯5**   **B5**   **E5***
All the different places   ringing out like a shotgun in my head.

    G♯5   **B5**   **E5**   **G♯5**   **B5**   **E5***
All the pretty faces   ringing out and I just can't go to bed.

Pre-chorus 2

        B5   **G♯5**
Well how did it happen?

        E5*   **B5**   **G♯5**   **E5***
I spent two long years in a strange strange land.

        B5   **G♯5**
Well how did it happen?

      E5*   **B5**   **G♯5**
I'd do any - thing just to be your man.

      E5*   **B5**   **G♯5**
I'd do any - thing just to be your man.

Chorus 2   As Chorus 1

Bridge | **G♯m** | **G♯m** |

    C♯m   **D♯m**
I don't feel like touching you.

                                    F♯ **G♯m**
I don't feel like touching you.

                               C♯m
I don't feel like touching you.

                               D♯m
I don't feel like touching you.

         F♯
You can't tell anyone a - bout me.

5

Chorus 3

B   C♯m   D♯m   F♯

You're not going any - where with - out me,

                         G♯m   C♯m

Help me out I need it.

                         D♯m   F♯

You can't tell anyone a - bout me,

Help me out I need it.

Link 2

‖: G♯5   B5 | E5 | G♯5   B5 | E5*   :‖

Outro

G♯5   B5   E5   G♯5   B5   E5*

I don't feel like, I don't feel like, I don't feel like loving you.

G♯5   B5   E5   G♯5   B5   E5*

I don't feel like, I don't feel like, I don't feel like loving you.

All These Things That I've Done

Words & Music by
Brandon Flowers, Dave Keuning, Mark Stoermer & Ronnie Vannucci

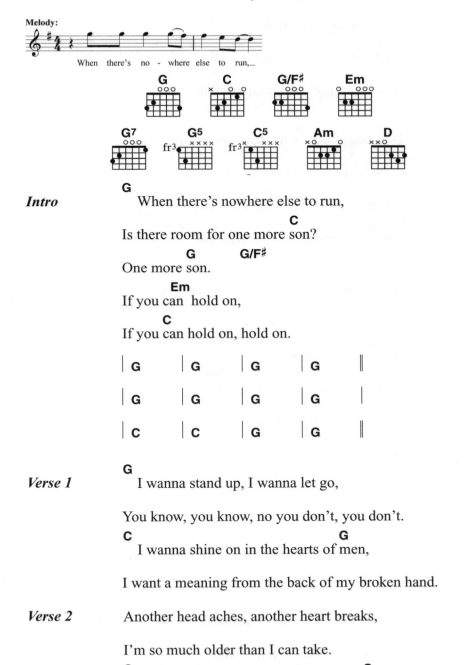

Intro

G
When there's nowhere else to run,

C
Is there room for one more son?

G   **G/F♯**
One more son.

Em
If you can hold on,

C
If you can hold on, hold on.

| G | G | G | G ‖

| G | G | G | G |

| C | C | G | G ‖

Verse 1

G
I wanna stand up, I wanna let go,

You know, you know, no you don't, you don't.

C   **G**
I wanna shine on in the hearts of men,

I want a meaning from the back of my broken hand.

Verse 2

Another head aches, another heart breaks,

I'm so much older than I can take.

C   **G**
And my affection, well it comes and goes,

I need direction to perfection, no, no, no, no.

Chorus 1   Help me out.

Yeah, you know you got to help me out.

                                            C

Yeah, oh don't you put me on the backburner.

                                 G

You know you got to help me out, yeah.

Verse 3   And when there's nowhere else to run,

G7

    Is there room for one more son?

        C

These changes ain't changing me,

    G

The cold-hearted boy I used to be.

Chorus 2   Yeah, you know you got to help me out,

                                   C

Yeah, oh don't you put me on the backburner,

                           G

You know you got to help me out, yeah.

                      Em

You're gonna bring yourself down,

                           C

Yeah, you're gonna bring yourself down,

                         G

Yeah, you're gonna bring yourself down.

Link 1 | **G5** | **G5** | **G5** | **G5**   ‖

                G5

Bridge   I got soul, but I'm not a soldier.

I got soul, but I'm not a soldier.

C5

    I got soul, but I'm not a soldier.

G5

    I got soul, but I'm not a soldier.

I got soul, but I'm not a soldier.

I got soul, but I'm not a soldier.

Bridge (cont.)

C5
   I got soul, but I'm not a soldier.

G5
   I got soul, but I'm not a soldier.

Em
   I got soul, but I'm not a soldier.

C
   I got soul, but I'm not a soldier.

Link 2 | G | G | G | G   ‖

Chorus 3

G
   Yeah, you know you got to help me out,

                          C
Yeah, oh don't you put me on the backburner,

                     G
You know you got to help me out, yeah.

You're gonna bring yourself down,

Yeah, you're gonna bring yourself down.

                          C
Yeah, oh don't you put me on the backburner,

                 G
You're gonna bring yourself down,

                          Em
Yeah, you're gonna bring yourself down.

Outro

         Am   C
Over and in, last call for sin.

                             D
While ev'ryone's lost, the battle is won,

                  G
With all these things that I've done.

                Em
All these things that I've done.

     C
If you can hold on,

     D
If you can hold on.

| G | G | G | G |

| G | G | G | G   ‖

Andy You're A Star

Words & Music by
Brandon Flowers, Dave Keuning, Mark Stoermer & Ronnie Vannucci

Melody:

On the field I re-mem-ber you were in-cred-i-ble,

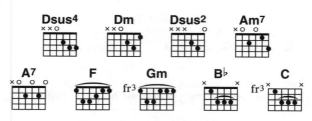

Dsus4   Dm   Dsus2   Am7

A7   F   Gm   Bb   C

Tune guitar down a semitone

Intro

‖: Dsus4 | Dm Dsus2 Dsus4 | Dsus4 Dm Dsus2 |

| Dsus4 Dm Dsus2 | Am7 | A7   Dsus4 |

| Dsus4 Dm Dsus2 | Dsus4 Dm Dsus2 :‖

2° (On the)

Verse 1

Dm Dsus2   Dsus4   Dm   Dsus2   Dsus4
On the   field   I re - member you   were

       Dm   Dsus2 Dsus4
In - cre - di - ble,

Dm Dsus2   Am7   A7   Dsus4 Dm Dsus2 Dsus4
Hey shut   up, hey shut up,   yeah.

Dm Dsus2   Dsus4   Dm   Dsus2   Dsus4
On the   field   I re - member you   were

       Dm   Dsus2 Dsus4
In - cre - di - ble,

Dm Dsus2   Am7   A7   Dsus4 Dm Dsus2 Dsus4
Hey shut   up, hey shut up,   yeah.

Dm Dsus2 F   Gm   Dm
On   the   mats with the boys, you think you're alone,

       F   Gm   Dm
With the pain that you drain from love.

     F   Bb   Gm   C
In a car with a girl, pro - mise me she's not your world,

         Dsus4
'Cause Andy, you're a star.

Link 1 | **Dsus⁴** | **Dm Dsus² Dsus⁴** | **Dsus⁴ Dm Dsus²** |
(star.)

| **Dsus⁴ Dm Dsus²** | **Dsus⁴** | **Dm Dsus² Dsus⁴** |

| **Dsus⁴ Dm Dsus²** | **Dsus⁴ Dm Dsus²** ‖
                     (Leave your)

Verse 2

Dm   **Dsus²** **Dsus⁴**   **Dm**   **Dsus²**
Leave your   number on the locker and

Dsus⁴ Dm Dsus² Dsus⁴
I'll give you a   call,

Dm Dsus² Am⁷   **A⁷**   **Dsus⁴ Dm Dsus² Dsus⁴**
Hey shut   up, hey shut up, yeah.

Dm   **Dsus²** **Dsus⁴** **Dm**   **Dsus²** **Dsus⁴**
Leave your   legacy in gold on the   plaques

       Dm **Dsus²** **Dsus⁴**
That line the   hall,

Dm Dsus² Am⁷   **A⁷**   **Dsus⁴ Dm Dsus² Dsus⁴**
Hey shut   up, hey shut up, yeah.

Dm Dsus² F   **Gm**   **Dm**
On   the   streets, such a sweet face jumpin' town,

       F   **Gm**   **Dm**
In the staff room the verdict is in.

       F   **B♭**   **Gm**   **C**
In a car with a girl, pro - mise me she's not your world,

Chorus

                 F
'Cause Andy, you're a star.

       B♭
In nobody's eyes but mine.

           F
Andy, you're a star.

       B♭
In nobody's eyes but mine.

          Dm
Andy, you're a star.

       B♭   **C**   **Dsus⁴**
In nobody's eyes, in nobody's eyes but mine.

Outro   ‖: **Dsus⁴** | **Dm Dsus² Dsus⁴** | **Dsus⁴ Dm Dsus²** |
(mine)

| **Dsus⁴ Dm Dsus²** | **Am⁷** | **A⁷**   **Dsus⁴** |

| **Dsus⁴ Dm Dsus²** | **Dsus⁴ Dm Dsus²** :‖

| **Dsus⁴** | **Dm Dsus² Dsus⁴** | **Dsus⁴ Dm Dsus²** |

| **Dsus⁴ Dm Dsus²** | **Am⁷** | **Am⁷**   ‖

11

The Ballad Of Michael Valentine

Words & Music by
Brandon Flowers, Dave Keuning, Mark Stoermer & Ronnie Vannucci

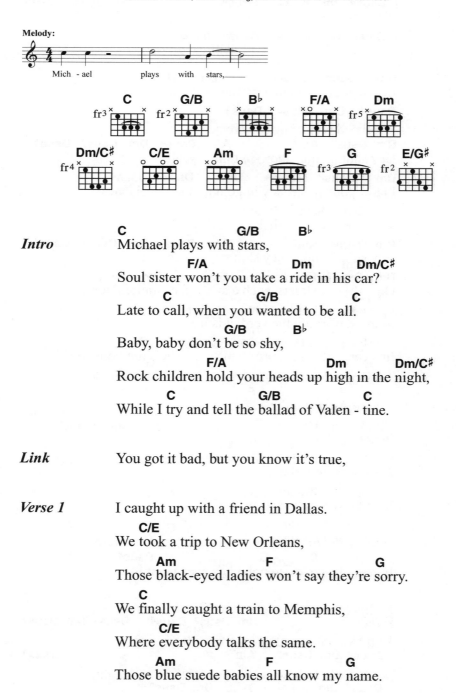

Melody:

Mich - ael   plays   with   stars,____

Intro

      C   G/B   Bb
Michael plays with stars,

           F/A   Dm   Dm/C#
Soul sister won't you take a ride in his car?

      C   G/B   C
Late to call, when you wanted to be all.

             G/B   Bb
Baby, baby don't be so shy,

           F/A   Dm   Dm/C#
Rock children hold your heads up high in the night,

      C   G/B   C
While I try and tell the ballad of Valen - tine.

Link

You got it bad, but you know it's true,

Verse 1

I caught up with a friend in Dallas.

      C/E
We took a trip to New Orleans,

      Am   F   G
Those black-eyed ladies won't say they're sorry.

      C
We finally caught a train to Memphis,

      C/E
Where everybody talks the same.

      Am   F   G
Those blue suede babies all know my name.

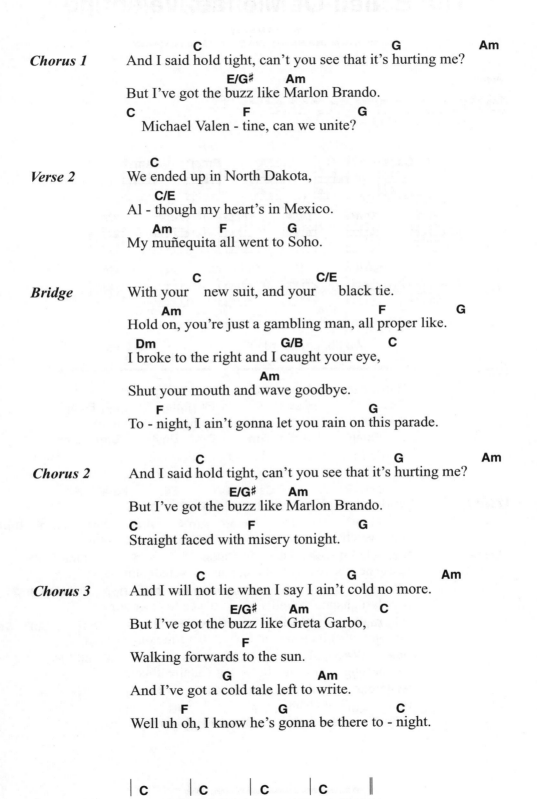

Chorus 1

         C   **G**   **Am**
And I said hold tight, can't you see that it's hurting me?

                  E/G♯   **Am**
But I've got the buzz like Marlon Brando.

C   **F**   **G**
    Michael Valen - tine, can we unite?

Verse 2

      C
We ended up in North Dakota,

      C/E
Al - though my heart's in Mexico.

   Am   **F**   **G**
My muñequita all went to Soho.

Bridge

             C   **C/E**
With your   new suit, and your   black tie.

      Am   **F**   **G**
Hold on, you're just a gambling man, all proper like.

    Dm   **G/B**   **C**
I broke to the right and I caught your eye,

                        Am
Shut your mouth and wave goodbye.

       F   **G**
To - night, I ain't gonna let you rain on this parade.

Chorus 2

          C   **G**   **Am**
And I said hold tight, can't you see that it's hurting me?

                  E/G♯   **Am**
But I've got the buzz like Marlon Brando.

C   **F**   **G**
Straight faced with misery tonight.

Chorus 3

          C   **G**   **Am**
And I will not lie when I say I ain't cold no more.

                  E/G♯   **Am**   **C**
But I've got the buzz like Greta Garbo,

                       F
Walking forwards to the sun.

                G   **Am**
And I've got a cold tale left to write.

       F   **G**   **C**
Well uh oh, I know he's gonna be there to - night.

| C | C | C | C ‖

Believe Me Natalie

Words & Music by
Brandon Flowers, Dave Keuning, Mark Stoermer & Ronnie Vannucci

Melody:

Be - lieve me_ Nat - a - lie, lis - ten_ Nat - a - lie, this__

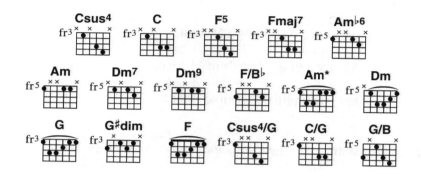

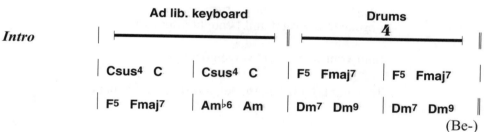

Intro

Ad lib. keyboard

Drums
4

| Csus⁴ C | Csus⁴ C | F⁵ Fmaj⁷ | F⁵ Fmaj⁷ |
| F⁵ Fmaj⁷ | Am♭6 Am | Dm⁷ Dm⁹ | Dm⁷ Dm⁹ |

(Be-)

Verse 1

    Csus⁴   C   Csus⁴ C   F⁵   Fmaj⁷ F⁵
Be - lieve me, Natalie, listen   Natalie, this is

    Fmaj⁷   F⁵   Fmaj⁷ Am♭6   Am   Dm⁷   Dm⁹ Dm⁷
Your last chance to find a go-go dance to disco now.

Dm⁹   Csus⁴   C   Csus⁴ C   F⁵   Fmaj⁷ F⁵
Please be - lieve me, Natalie, listen Natalie, this is

    N.C.   F⁵   Fmaj⁷ Am♭6   Am Dm⁷   Dm⁹ Dm⁷
Your last chance to find a go-go dance to disco now.

    Dm⁹   F⁵   Fmaj⁷ Am♭6   Am   Dm⁷   Dm⁹ Dm⁷
For - get what they said in Soho, leave the oh-no's out.

Dm⁹   F/B♭   F⁵   Fmaj⁷ F⁵
And be - lieve me, Natalie, listen Natalie, this is

Fmaj⁷ N.C.
Your   last chance.

Link 1   ‖: F5 Fmaj7 | Am♭6 Am | Dm7 Dm9 | Dm7 Dm9 :‖

Verse 2

           Csus4 C   Csus4 C   F5   Fmaj7 F5
There is an   old cliche under your Monet, baby.

         Fmaj7   F5   Fmaj7
Re - member the arch of roses,

Am♭6   Am   Dm7   Dm9 Dm7
Right a - bove your couch.

       Dm9   F5   Fmaj7
For - get what they said in Soho,

Am♭6   Am   Dm7   Dm9 Dm7
Leave the oh-no's out.

Dm9   F/B♭   Am*
Yes, there is an old cliche under your Monet, baby.

Bridge

         Dm
You left the station now to the floor,

        Am*
With speculation, what was it for?

     Dm   G
In that old hallway, Mom says why don't you stay?

               G♯dim   Am Am♭6
You've been a - way for a long time.

Verse 3

          G   F
Be - lieve me, Natalie, this is

              F5   Fmaj7   Am♭6 Am Dm7 Dm9 Dm7
Your last chance to find a go-go.

       Dm9   F5   Fmaj7   Am♭6 Am Dm7 Dm9 Dm7
For - get what they said in Soho,

Dm9 F5   Fmaj7 Am♭6 Am
And walk a - way.

       Dm7   Dm9   Dm7
If my dreams for us can't get you

Dm9   Csus4   C   Csus4
Through just one more day,

         C   Csus4/G C/G Csus4/G C/G
It's al - right by me.

Outro

     F5   Fmaj7   Am♭6 Am
God help me somehow.

         Dm7   Dm9   Dm7 Dm9
There's no time for sur - vival left,

    Csus4 C   Csus4
The time is now.

        C   Csus4/G C/G G♯dim   Am G/B
'Cause this might be   your last chance

   C   Am
To disco, oh, oh.

| Csus4 C | Csus4 C | Am♭6 Am | Am♭6 Am | |

| Csus4/G C/G | F5 Fmaj7 | F/B♭ | ‖

Bones

Words & Music by
Brandon Flowers, Dave Keuning, Mark Stoermer & Ronnie Vannucci

We took a back road, we're gon - na look at the stars.

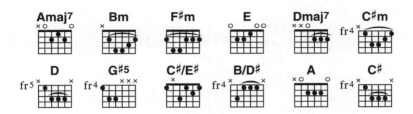

Amaj7   Bm   F#m   E   Dmaj7   C#m
D   G#5   C#/E#   B/D#   A   C#

Intro

N.C.
Come with me.

| Amaj7 | Amaj7 | Bm | F#m E |
| Dmaj7 | Dmaj7 | E | E ‖

(We took a)

Verse 1

    E   C#m   D
We took a back road, we're gonna look at the stars,
         Bm   C#m
We took a back road in my car.
         F#m   D
Down to the ocean, it's only water and sand,
         G#5   C#m
And in the ocean we'll hold hands.

                                 D   Bm
But I don't really like you, apolo - getically dressed in the best,
         C#m
But on a heartbeat glide.
         F#m   D
Without an answer, the thunder speaks for the sky,
         G#5   C#m   D
And on the cold, wet dirt I cry.———
         C#m Bm A G#5 F#m   E
And on the cold, wet dirt I   cry.

```
                          Amaj7
Chorus 1     Don't you wanna come with me?
                          Bm      F♯m  E    Dmaj7
             Don't you wanna feel my bones on your bones?
                     E
             It's only natural.

                        C♯m        D    Bm                E          C♯/E♯
Verse 2      A cinematic vision en - sued    like the holiest dream.
                       F♯m
             Is someone calling?
                D
             An angel whispers my name,
                    G♯5                       C♯m      D
             But the message relayed is the same:
                                             E
             "Wait till tomorrow, you'll be fine."

             But it's gone to the dogs in my mind.
               C♯m   D          Bm         C♯m     F♯m
             I always hear them when the dead of night,
                     D         G♯5      C♯m       D
             Comes calling to save me from this fight.
                          C♯m  Bm   A      G♯5  F♯m     E
             But they can ne  -  ver   wrong this  right.

                          Amaj7
Chorus 2     Don't you wanna come with me?
                          Bm      F♯m  E    Dmaj7
             Don't you wanna feel my bones on your bones?
                     E
             It's only natural.
                          Amaj7
             Don't you wanna swim with me?
                          Bm      F♯m  E     Dmaj7
             Don't you wanna feel my skin     on your skin?
                     E
             It's only natural.
```

Bridge

F#m   C#/E#
(Never had a lover), I never had a lover.

E   B/D#
(Never had soul), I never had soul.

A   C#
(Never had a good time), and I never had a good time.

D   E
(Never got gold), I never got gold.

Chorus 3

             Amaj7
Don't you wanna come with me?

             Bm   F#m E   Dmaj7
Don't you wanna feel my bones on your bones?

     E
It's only natural.

          Amaj7
Don't you wanna swim with me?

             Bm   F#m E   Dmaj7
Don't you wanna feel my skin   on your skin?

     E
It's only natural.

Chorus 4

             Amaj7   D
Don't you wanna come with me?

             E   F#m E   Dmaj7
Don't you wanna feel my bones on your bones?

     E
It's only natural.

             Amaj7   D
Come and take a swim with me.

             E   F#m E   Dmaj7
Don't you wanna feel my skin   on your skin?

     E   Amaj7
It's only natural.

Change Your Mind

Words & Music by
Brandon Flowers, Dave Keuning, Mark Stoermer & Ronnie Vannucci

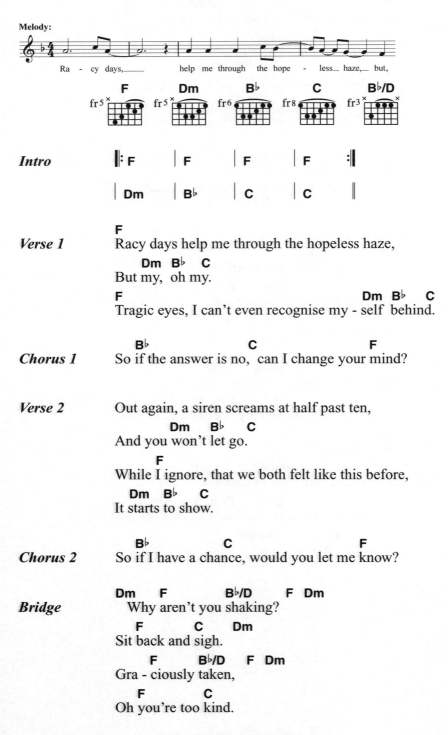

Melody:

Ra - cy days,___ help me through the hope - less___ haze,___ but,

F   Dm   B♭   C   B♭/D

Intro

‖: F | F | F | F :‖

| Dm | B♭ | C | C ‖

Verse 1

F
Racy days help me through the hopeless haze,
    Dm B♭ C
But my, oh my.
F   Dm B♭ C
Tragic eyes, I can't even recognise my - self behind.

Chorus 1

B♭   C   F
So if the answer is no, can I change your mind?

Verse 2

Out again, a siren screams at half past ten,
    Dm B♭ C
And you won't let go.
        F
While I ignore, that we both felt like this before,
    Dm B♭ C
It starts to show.

Chorus 2

B♭   C   F
So if I have a chance, would you let me know?

Bridge

Dm   F   B♭/D   F Dm
  Why aren't you shaking?
    F   C   Dm
Sit back and sigh.
    F   B♭/D   F Dm
Gra - ciously taken,
    F   C
Oh you're too kind.

Chorus 3

     Bb   C   F
And if the answer is no, can I change your mind?

Verse 3

             Dm Bb C
We're all the same and love is blind.

     F   Dm Bb C
The sun is gone be - fore it shines.

Chorus 4

      Bb   C
And I said if the answer is no, can I change your mind?

Bb   C   F
If the answer is no, can I change your mind?

Outro | F | F | F | F ‖

Bling (Confession Of A King)

Words & Music by
Brandon Flowers, Dave Keuning, Mark Stoermer & Ronnie Vannucci

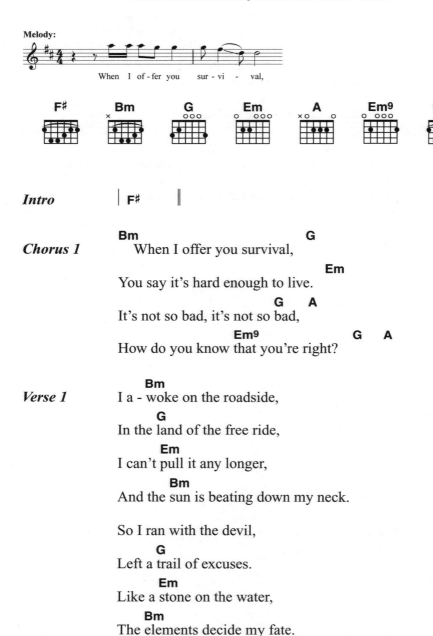

Melody:

When I of-fer you sur - vi - val,

F♯   Bm   G   Em   A   Em9   F♯m   D

Intro | F♯ |

Chorus 1

    Bm   **G**
When I offer you survival,
                          Em
You say it's hard enough to live.
               G   **A**
It's not so bad, it's not so bad,
      Em9   **G**   **A**
How do you know that you're right?

Verse 1

    Bm
I a - woke on the roadside,
    G
In the land of the free ride,
     Em
I can't pull it any longer,
     Bm
And the sun is beating down my neck.

So I ran with the devil,
   G
Left a trail of excuses.
    Em
Like a stone on the water,
   Bm
The elements decide my fate.
      G **A**
Watch it go,   bling.

                              Bm   F♯m   G
Chorus 2   When I offer you sur - vival,
                                                               A
                   You say it's hard enough to live.
                                      F♯m
                   Don't tell me that it's over,
                              G   A
                   Stand up, poor and tired, but more than this.
                                   F♯m
                   How do you know that you're right
                                   G   A
                   If you're not nervous anymore?
                                   F♯m   G
                   It's not so bad, it's not so bad.

                                                   Bm
Verse 2   I feel my vision slipping in and out of focus,
                                      G
                   But I'm pushing on for that horizon.
                                   Em
                   I'm pushing on,
                                   Bm
                   Now I've got that blowing wind against my face.

                   So you sling rocks at the rip tide,
                              G
                   Am I wrong or am I right?
                                   Em
                   I hit the bottom with a "huh!"
                                             Bm
                   Quite strange, I get my glory in the desert rain.
                                   G   A
                   Watch it go,   bling.

Chorus 3

```
        Bm                      F♯m   G
          When I offer you sur - vival,

                                        A
        You say it's hard enough to live.

                       F♯m
        And I'll tell you when it's over,

             G                              A
        Shut up, poor and tired but more than this.

                         F♯m
        How do you know that you're right,

                     G              A
        If you're not nervous anymore?

                 F♯m          G
        It's not so bad, it's not so bad.
```

Bridge

```
         ‖: D
            Higher and higher,

        We're gonna take it down to the wire,

                          G        A      Bm  F♯m
        We're gonna make it out of the fire,

        G          A
        Higher and higher. :‖
        D
        Higher and higher,

                          G
        We're gonna take it down to the wire,

                                 A    Bm  F♯m
        We're gonna make it out oh,_____
        G          A       D
        Higher and higher.
```

Outro

```
        G     A    Bm
        It ain't hard to hold,

                F♯m     G
        When it shines like gold,

                     A       D
        You'll re - member me.
```

Daddy's Eyes

Words & Music by
Brandon Flowers, Dave Keuning, Mark Stoermer & Ronnie Vannucci

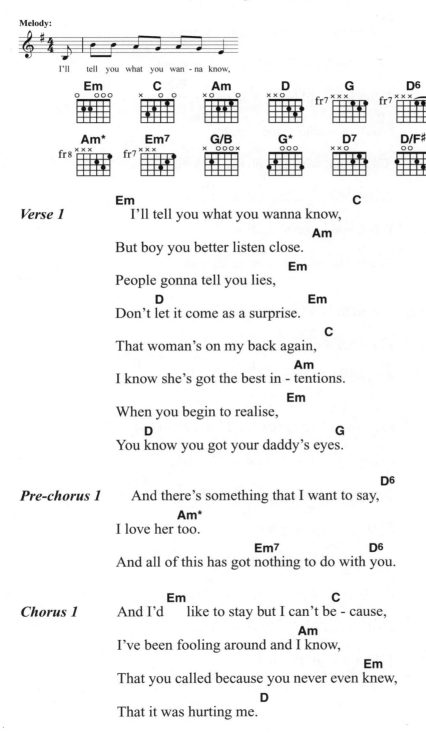

Verse 1

   Em   **C**
I'll tell you what you wanna know,

                     Am
But boy you better listen close.

                 Em
People gonna tell you lies,

   D   **Em**
Don't let it come as a surprise.

                  C
That woman's on my back again,

               Am
I know she's got the best in - tentions.

            Em
When you begin to realise,

   D   **G**
You know you got your daddy's eyes.

Pre-chorus 1

                            D6
And there's something that I want to say,

  Am*
I love her too.

          Em7   **D6**
And all of this has got nothing to do with you.

Chorus 1

      Em   **C**
And I'd   like to stay but I can't be - cause,

               Am
I've been fooling around and I know,

                    Em
That you called because you never even knew,

      D
That it was hurting me.

Verse 2

      Em   **C**

When you put it on the other hand,

                                      Am

When you're old enough to understand.

                              Em

That glove will bring it all to life,

 D   **Em**

I didn't say that made it right.

                                      C

'Cause that woman's on my back again,

                        Am

I know she's got the best in - tentions.

                          Em

When you begin to realise,

     D   **G**

You know you got your daddy's eyes.

Pre-chorus 2

                                        D6

And there's something that I want to say,

             Am*

I love her too.

                    Em7   **D6**

And all of this has got nothing to do with you.

Chorus 2

           Em   **C**

And I'd   like to stay but I can't be - cause,

                    Am

I've been fooling around and I know,

                                  Em

That you called because you never even knew,

                  D

That it was hurting me.

           Em   **C**

And I'd   like to stay but I can't be - cause,

                    Am

I've been fooling around and I know,

                                  Em

That you called because you never even knew,

                  D

That it was hurting me.

Bridge

            C   **G/B Am G***
Sometimes people get tired,
                  C   **G**   **D7**
And I woke up a little too late to lie.
                 C   **G/B Am G**
Dreams should last a long time,
           C   **G**   **D7**
This is not what I'd call good - bye.

Solo   ‖: **Em** | **C** | **Am** | **Em D** :‖

Chorus 3

  Em   **C**
   I'd love to stay but I can't be - cause,
                      Am
I've been fooling around and I know,
                             Em
That you called because you never even knew,
               D
That it was hurting me.
     Em   **C**
And I   would love to stay but I can't be - cause,
                      Am
I've been fooling around and I know,
                            Em
That you called because you never even knew,
               D
That it was hurting me.
   Em   **G**   **D/F♯**
Me.
                Am   **G**   **D/F♯**   **Em**
And I love her too.

Enterlude

Words & Music by
Brandon Flowers, Dave Keuning, Mark Stoermer & Ronnie Vannucci

We hope you en - joy your stay,

G#m   B   E   F#   F#/A#

Verse 1

      G#m   B   E
We hope you en - joy your stay,

      G#m   F#   E   B   F#/A#
It's good to have you with us even if it's just for the day.

      G#m   F#   B   E
We hope you en - joy your stay,

        G#m   F#
Out - side the sun is shining,

         E   B   F#/A#
It seems like heaven ain't far a - way.

      G#m   F#
It's good to have you with us,

        E   B   G#m F# E
Even if it's just for the day.

Exitlude

Words & Music by
Brandon Flowers, Dave Keuning, Mark Stoermer & Ronnie Vannucci

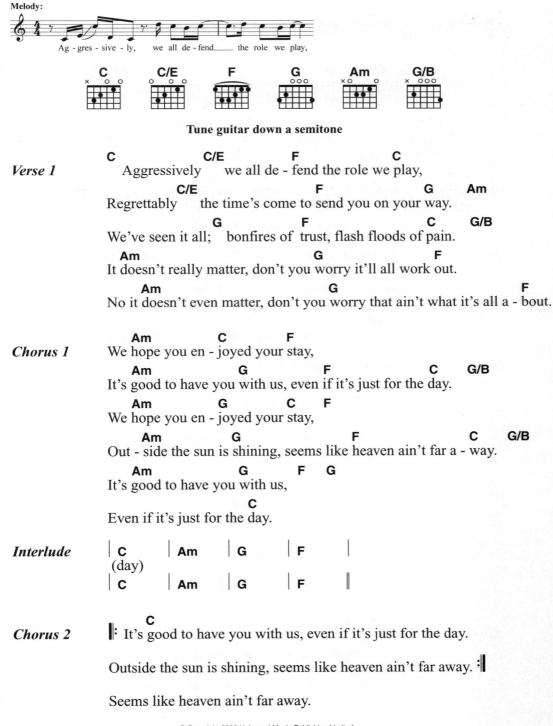

Melody:

Ag - gres - sive - ly,   we all de - fend___ the role we play,

C   C/E   F   G   Am   G/B

Tune guitar down a semitone

Verse 1

       C   C/E   F   C
Aggressively   we all de - fend the role we play,

            C/E   F   G   Am
Regrettably   the time's come to send you on your way.

               G   F   C   G/B
We've seen it all;   bonfires of trust, flash floods of pain.

     Am   G   F
It doesn't really matter, don't you worry it'll all work out.

     Am   G   F
No it doesn't even matter, don't you worry that ain't what it's all a - bout.

Chorus 1

       Am   C   F
We hope you en - joyed your stay,

       Am   G   F   C   G/B
It's good to have you with us, even if it's just for the day.

       Am   G   C   F
We hope you en - joyed your stay,

       Am   G   F   C   G/B
Out - side the sun is shining, seems like heaven ain't far a - way.

       Am   G   F   G
It's good to have you with us,

                        C
Even if it's just for the day.

Interlude

| C | Am | G | F | |
(day)
| C | Am | G | F | ||

Chorus 2

       C
It's good to have you with us, even if it's just for the day.

Outside the sun is shining, seems like heaven ain't far away.

Seems like heaven ain't far away.

Everything Will Be Alright

Words & Music by
Brandon Flowers, Dave Keuning, Mark Stoermer & Ronnie Vannucci

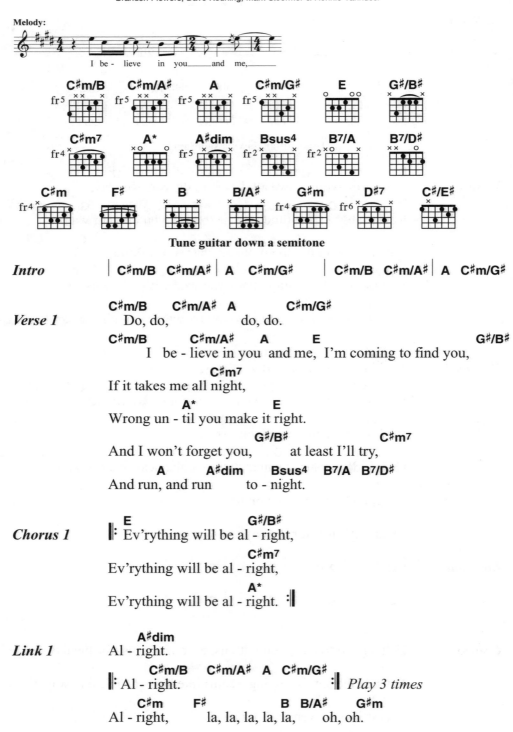

Melody:

I be - lieve in you___ and me,___

C#m/B   C#m/A#   A   C#m/G#   E   G#/B#

C#m7   A*   A#dim   Bsus4   B7/A   B7/D#

C#m   F#   B   B/A#   G#m   D#7   C#/E#

Tune guitar down a semitone

Intro

| C#m/B   C#m/A# | A   C#m/G# | | C#m/B   C#m/A# | A   C#m/G# |

Verse 1

      C#m/B   C#m/A# A   C#m/G#
Do, do,   do, do.

      C#m/B   C#m/A#   A   E   G#/B#
  I be - lieve in you and me, I'm coming to find you,

                    C#m7
If it takes me all night,

          A*   E
Wrong un - til you make it right.

               G#/B#   C#m7
And I won't forget you,   at least I'll try,

        A   A#dim   Bsus4 B7/A B7/D#
And run, and run   to - night.

Chorus 1

    E   G#/B#
‖: Ev'rything will be al - right,

                   C#m7
Ev'rything will be al - right,

                  A*
Ev'rything will be al - right. :‖

Link 1

      A#dim
Al - right.

      C#m/B   C#m/A# A C#m/G#
‖: Al - right.   :‖ *Play 3 times*

      C#m   F#   B B/A#   G#m
Al - right,   la, la, la, la, la, oh, oh.

Bridge

          C#m   **F#**
I wasn't shopping for a doll,

                    D#7   **G#m**
To say the least, I thought I'd   seen them all.

                   C#m   **F#**
But then you took me by sur - prise,

                         B
I'm dreaming 'bout those dreamy eyes.

     B/A#   **G#m**
I never knew, I never knew,

                          C#m   **F#**
So take your suitcase, 'cause I don't mind.

               D#7   **G#m**
And baby doll, I meant it   every time,

                  C#m   **F#**
You don't need to compro - mise.

                     B
I'm dreaming 'bout those dreamy eyes,

     B/A#   **G#m**
I never knew, I never knew,

     F#   **C#/E#**
But it's   al - right,

Alright.

Chorus 2

     E   **G#/B#**
‖: Ev'rything will be al - right,

                  C#m7
Ev'rything will be al - right,

                A*
Ev'rything will be al - right. :‖ *Play 3 times*

Chorus 3

    E   **G#/B#**
Ev'rything will be al - right,

                C#m7
Ev'rything will be al - right,

                A*
Ev'rything will be al - right, will be alright.

Outro

‖: **E** | **G#/B#** | **C#m7** | **A*** :‖ *Play 3 times*

| **E** | **E**   ‖ *Fade out*

For Reasons Unknown

Words & Music by
Brandon Flowers, Dave Keuning, Mark Stoermer & Ronnie Vannucci

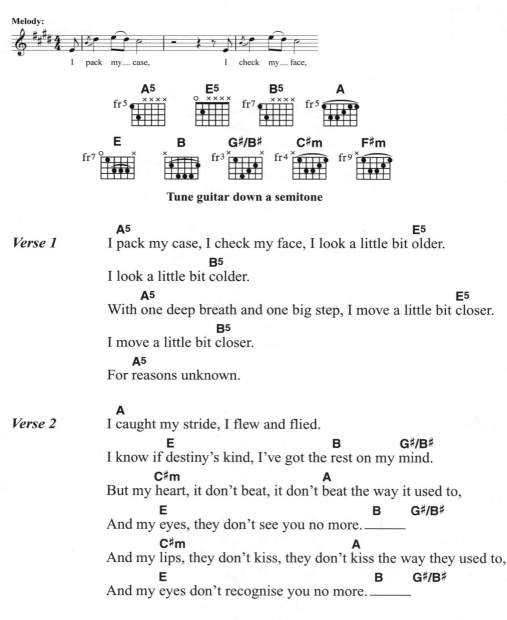

Tune guitar down a semitone

Verse 1
        A5
I pack my case, I check my face, I look a little bit older.   **E5**
        B5
I look a little bit colder.
        A5
With one deep breath and one big step, I move a little bit closer. **E5**
        B5
I move a little bit closer.
        A5
For reasons unknown.

Verse 2
        A
I caught my stride, I flew and flied.
        E   **B**   **G#/B#**
I know if destiny's kind, I've got the rest on my mind.
        C#m   **A**
But my heart, it don't beat, it don't beat the way it used to,
        E   **B** **G#/B#**
And my eyes, they don't see you no more. _____
        C#m   **A**
And my lips, they don't kiss, they don't kiss the way they used to,
        E   **B** **G#/B#**
And my eyes don't recognise you no more. _____

Chorus 1
        E   **F#m** **C#m** **B**
For reasons un - known,
        E   **F#m** **C#m** **B**
For reasons un - known.

Verse 3

             A
There was an open chair,

We sat down in the open chair.
       E   **B**   **G♯/B♯**
I said if destiny's kind, I've got the rest on my mind.
       C♯m   **A**
But my heart, it don't beat, it don't beat the way it used to,
       E   **B**   **G♯/B♯**
And my eyes, they don't see you no more. _____
       C♯m   **A**
And my lips, they don't kiss, they don't kiss the way they used to,
       E   **B**   **G♯/B♯**
And my eyes don't recognise you at all. _____

Chorus 2

       E   **F♯m**   **C♯m** **B**
For reasons un - known,
       E   **F♯m**   **C♯m** **B**
For reasons un - known.

Bridge

       E   **F♯m**   **C♯m**   **B**
I said my heart, it don't beat, it don't beat the way it used to,
       E   **F♯m**   **C♯m**   **B**
And my eyes don't recog - nise you no more.
G♯/B♯ **C♯m**   **A**   **E**   **B**
And my lips, they don't kiss, they don't kiss the way they used to,
G♯/B♯ **C♯m**   **A**   **E**   **B** **G♯/B♯**
And my eyes don't recog - nise you no more.

Chorus 3

       E   **F♯m** **C♯m** **B**
‖: For reasons un - known. :‖   *Play 4 times*

| **E** | ‖

Get Trashed

Words & Music by
Brandon Flowers, Dave Keuning, Mark Stoermer & Ronnie Vannucci

Melody:

Sit - ting here on the bed,_____

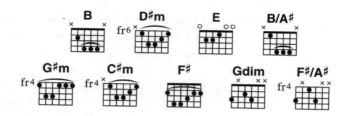

Verse 1

      B   D#m E   B   B/A#
Sitting here on the bed, trying to clear my head,

        G#m   C#m   E   F#
But Brooke you just won't budge, so I look back in - stead.

      B   D#m E   B   B/A#
Why'd you go a - way? Useless when I say, hey,

   G#m   C#m   E   F#
Baby I'll be the best, 'cause I'm a jealous mess.

            B   D#m
So wash your hands from all this dirt,

       E   B   B/A#
And take my words for what they're worth.

 G#m   C#m
Baby I'll be the best,

       E   F#
But you stand to pro - test,

        B   D#m
And my stomach has been so abused,

        E   B   B/A#
Your con - fusion's got me so confused.

        G#m   C#m E   F#
But ev'rything will be al - right if I get trashed to - night.

Verse 2

    B   **D♯m E**   **B**   **B/A♯**
Sitting here on the bed, trying to clear my head,

    G♯m   **C♯m**   **E**   **F♯**
But Brooke you just won't budge, so I look back in - stead.

    B   **D♯m E**   **B**   **B/A♯**
Why'd you go a - way? Useless when I say, hey,

G♯m   **C♯m**   **E**   **F♯**
Baby I'll be the best, 'cause I'm a jealous mess.

           B   **D♯m**
And my stomach has been so abused,

         E   **B**   **B/A♯**
Your con - fusion's got me so confused.

    G♯m   **C♯m E**   **F♯**   **Gdim G♯m F♯/A♯**
But ev'rything will be al - right if I get trashed to - night.

Instrumental

‖: B | D♯m | E | B B/A♯ |

| G♯m | C♯m | E | F♯ :‖

| Gdim | G♯m F♯/A♯ | B ‖

35

Glamorous Indie Rock & Roll

Words & Music by
Brandon Flowers, Dave Keuning, Mark Stoermer & Ronnie Vannucci

Melody:

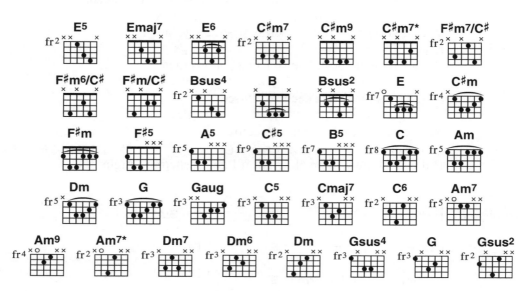

Glam - or - ous in - die rock and roll is what I want,

Tune guitar down a semitone

Intro | E5   ‖

Verse 1
    E5   Emaj7 E6   Emaj7 C#m7   C#m9 C#m7*
Glamor - ous   indie rock 'n' roll is what I want,
           C#m9   F#m7/C#   F#m6/C#
It's in my soul, it's what I need._____
F#m/C#   F#m6/C#   Bsus4   B Bsus2 B
Indie rock 'n' roll, it's time.

Verse 2
    E5   Emaj7 E6   Emaj7   C#m7   C#m9 C#m7*
Two of us   flipping through a thrift store magazine,
           C#m9   F#m7/C# F#m6/C#
She plays the drums, I'm on tambou - rine.
F#m/C#   F#m6/C#   Bsus4   B
Bet your, your bottom dollar on me.

Chorus 1

Bsus2   **B**   **E**
It's indie rock 'n' roll for me. —

                 C#m
It's indie rock 'n' roll for me. —

   F#m **B**
It's all I need,

               E5
It's indie rock 'n' roll for me.

Verse 3

    Emaj7   **E6**   **Emaj7** **C#m7**   **C#m9** **C#m7***
In a clutch, I'm talking every word for all   the boys,

     C#m9   **F#m7/C#**   **F#m6/C#**
Electric girls with worn   down toys.

F#m/C#   **F#m6/C#**   **Bsus4**   **B**
Makin' up, breakin' up, what do you care,

  Bsus2   **B**
Oh what do you care?

Bridge 1

F#5   **A5**   **C#5** **B5** **C#5 B5 C#5** **F#5**
I take my twist with a shout,

    A5   **C#5**   **B5**   **F#5**
A coffee shop with a cause,   then I'll freak you out.

      A5   **C#5**
No sex, no drugs, no life, no love,

    B5   **A5** **B5**
When it comes to to - day.

Bridge 2

   C   **Am**
Stay if you wanna love me, stay.

  Dm   **G**   **Gaug**
Oh don't be shy, let's cause a scene,

    C   **Am**
Like lovers do on silver screens.

  Dm   **G**   **Gaug**
Let's make it yeah, we'll cause a scene.

Chorus 2

N.C.   **C**   **Cmaj7**
It's indie rock 'n 'roll for me.

   C6   **Cmaj7**   **Am7** **Am9** **Am7***
It's indie rock 'n' roll   for me. —

  Am9 **Dm7** **Dm6** **Dm** **Dm6** **Gsus4** **G**
It's all I need,

  Gsus2   **G**   **E**
It's indie rock 'n' roll for me.

Chorus 3   In a clutch, I'm talking every word for all the boys,   **C♯m**

It's all I need. ⎯   **F♯m**

Makin' up, breakin' up, what do you care,   **B**

It's indie rock 'n' roll for me. ⎯   **E**

Chorus 4   Two of us, flipping through a thrift store magazine,   **C♯m**

It's all I need. ⎯   **F♯m**

Makin' up, breakin' up, what do you care?   **B**

It's indie rock 'n' roll for me. ⎯⎯⎯   **E⁵ Emaj⁷ E⁶ Emaj⁷ E⁵**

A Great Big Sled

Words & Music by
Brandon Flowers, Dave Keuning, Mark Stoermer & Ronnie Vannucci

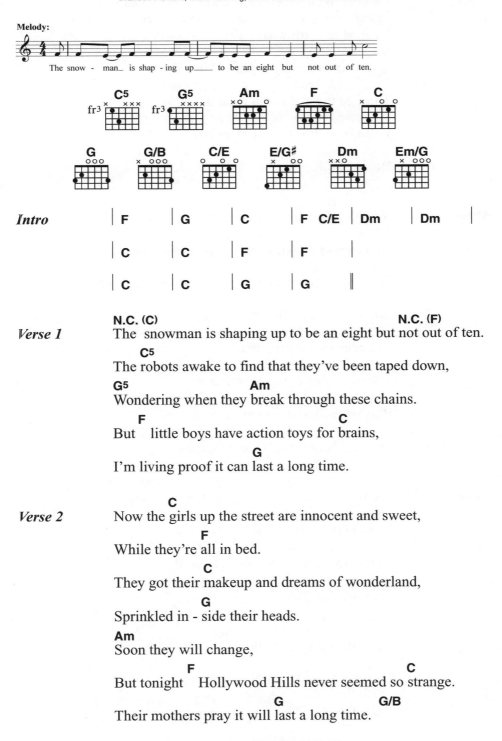

Intro

| F | G | C | F C/E | Dm | Dm | |

| C | C | F | F | |

| C | C | G | G | |

Verse 1

N.C. (C)   N.C. (F)
The snowman is shaping up to be an eight but not out of ten.
      C5
The robots awake to find that they've been taped down,
G5   Am
Wondering when they break through these chains.
         F   C
But   little boys have action toys for brains,
                           G
I'm living proof it can last a long time.

Verse 2

              C
Now the girls up the street are innocent and sweet,
         F
While they're all in bed.
              C
They got their makeup and dreams of wonderland,
         G
Sprinkled in - side their heads.
Am
Soon they will change,
              F   C
But tonight   Hollywood Hills never seemed so strange.
                    G   G/B
Their mothers pray it will last a long time.

Chorus 1

                          C   F   C/E   G
I wanna roll a - round like a kid in the snow,
     E/G♯   Am   F   C/E   G
I wanna re-learn what I already know.
                        F   G
Just let me take flight dressed in red,
                 C   F C/E Dm
Through the night on a great big sled.
                        C
I wanna wish you merry Christmas,

Ho, ho, ho.

Verse 3

                 C
Now the boys are all grown up,
                         F
And they're working their fingers to the bone.
                 C
They go a - round chasing them girls on the weekend,
                 G
You know they still can't be alone.
           Am
I've been racking my brain,
                            F
With thoughts of peace and love.
                       C
How on earth did we get so mixed up?
                G
I pray to God it don't last a long time.

Chorus 2

                       C   F   C/E   G
I wanna roll a - round like a kid in the snow,
     E/G♯   Am   F   C/E   G
I wanna re - learn what I already know.
                     F   G
Just let me take flight dressed in red,
              C   F   C/E Am
Through the night on a great big sled.

Bridge

                   Dm
I hear the sound of bells,
                       G
There's something on the roof,
                     Em/G   E/G♯   Am G/B G
I wonder what this night will bring.

Chorus 3   C   F   C/E   G

I wanna roll a - round like a kid in the snow,

    E/G♯   Am   F   C/E   G

I wanna re-learn what I already know.

                          F   G

Just let me take flight dressed in red,

                    C   F   C/E Dm   G

Through the night on a great big sled.

Outro   C

I wanna wish you merry Christmas.

            G   F

Can't do that.

                                    C

I wanna wish you merry Christmas.

            G   F C/E Dm C

Can't do that.

Jenny Was A Friend Of Mine

Words & Music by
Brandon Flowers, Dave Keuning, Mark Stoermer & Ronnie Vannucci

Melody:

We took a walk that night, but it was-n't the same.

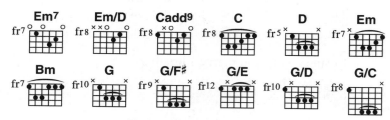

Tune guitar down a semitone

Intro | Em⁷ | Em⁷ | Em⁷ | Em⁷ ‖

‖: Em⁷ | Em/D | Cadd⁹ | Cadd⁹ :‖

Verse 1
Em⁷   Em/D   Cadd⁹
  We took a walk that night, but it wasn't the same,
Em⁷   Em/D   Cadd⁹
  We had a fight on the promenade out in the rain.
Em⁷   Em/D   Cadd⁹
  She said she loved me, but she had somewhere to go.
Em⁷   Em/D
  She couldn't scream while I held her close,
  Cadd⁹
I swore I'd never let her go.

Chorus 1
C   D
Tell me what you wanna know,
  Em   Bm
Oh come on, oh come on, oh come on.
  C   D
There ain't no motive for this crime,
G G/F♯ G/E G/D
Jenny was a friend of mine.
    G/C   G/D   Em⁷ Em/D Cadd⁹
So come on, oh come on, oh come on. Oh, oh, oh.

Link 1 | Em⁷ | Em/D | Cadd⁹ | Cadd⁹ ‖

Verse 2

```
Em7                        Em/D                    Cadd9
  I know my rights, I've been here all day and it's time,
Em7                  Em/D                 Cadd9
  For me to go, so let me know if it's al - right.
Em7                        Em/D                 Cadd9
  I just can't take this, I swear I told you the truth.
Em7                        Em/D
  She couldn't scream while I held her close,
  Cadd9
I swore I'd never let her go.
```

Chorus 2

```
C               D
Tell me what you wanna know,
       Em                        Bm
Oh come on, oh come on, oh come on.
       C               D
And then you whisper in my ear,
G      G/F♯       G/E   G/D
I know what you're doing here.
       G/C                      G/D
So come on, oh come on, oh come on.
       C                   D
There ain't no motive for this crime,
G      G/F♯   G/E       G/D
Jenny was a friend of mine.
       G/C                      G/D         Em7
Oh come on, oh come on, oh come on. Oh, oh, oh.
```

Link 2

‖: Em7 | Em7 | Em7 | Em7 :‖
(Oh)

Outro

‖: Em7 | Em/D | Cadd9 | Cadd9 :‖ *Play 4 times*

| Em7 ‖

Midnight Show

Words & Music by
Brandon Flowers, Dave Keuning, Mark Stoermer & Ronnie Vannucci

Melody:

I know what you want,

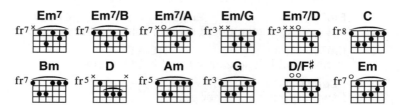

Tune guitar down a semitone

Intro | Em⁷ | Em⁷ | Em⁷/B | Em⁷/B |

| Em⁷/A | Em⁷/A | Em/G | Em⁷/D ‖

Verse 1

Em⁷
I know what you want,

    Em⁷/B
I wanna take you a midnight show tonight,

   Em⁷
If you can keep a secret.

   Em⁷/B
I got a blanket in the back seat on my mind,

    C   Bm   Em⁷
And a little place that sits beneath the sky.

Chorus 1

     C   Bm
She turned her face to speak,

     D
But no-one heard her cry.

N.C.   **Em⁷**   **Em⁷/B**
Drive faster, boy._____

             Em⁷/A Em/G   **Em⁷/D**
Drive faster, boy._____ Ye - ah.

Verse 2

Em7
I know there's a hope,

There's too many people trying to help me cope.

     Em7/B
You got a real short skirt,

     Em7
I wanna look up, look up, look up, yeah, yeah.

We were just in time,

     Em7/B
Let me take a little more off your mind.

     Em7
There's something in my head,

Somewhere in the back said:

Em7/B
We were just a good thing,

We were such a good thing.

Chorus 2

C   **Bm**   **Em7**
Make it go a - way without a word,

   C   **Bm**
But promise me you'll stay,

         D   **N.C.**
And fix these things I've hurt.

         Em7   **Em7/B**
Oh make it go away,   oh._____

     Em7/G   **Em/G**   **Em7/D**
Drive faster,   boy._____ Ye - ah, oh no.

Solo

| **Em7** | **Em7** | **Em7/B** | **Em7/B** |
(no.)
| **Em7/A** | **Em7/A** | **Em/G** | **Em7/D** ‖

Bridge

         C   **Bm**   **Em⁷**
Oh crashing tide can't hide a guilty girl,

           C   **Bm**   **Em⁷**
With jealous hearts that start with gloss and curls.

         C   **Bm**   **Am**
I took my baby's breath beneath the chandelier

                G
Of stars in atmosphere,

                 D/F♯   **D**   **Em⁷**   **Em⁷/B**
And watch her disappear   into the midnight   show.———

Chorus 3

            Em⁷/A   **Em/G**   **Em⁷/D**
A-faster,   a-faster, a-faster, a-fast - er,   faster,   a-faster.

            Em⁷
Oh no, no, no, no, no, no.

Em⁷/B
No, no, no, no, no.

    Em⁷/A
If you can keep a secret,

      Em/G   **Em⁷/D**   **Em⁷**   **Em⁷/B**   **Em⁷/A**
Well baby I can keep, you can keep a se - cret.

      Em/G   **Em⁷/D**   **Em⁷**   **Em⁷/B**
If you can keep a secret, I can keep a se - cret.

    Em⁷/A
If you can keep a secret,

      Em/G   **Em⁷/D**   **Em⁷**
Well baby I can keep, you can keep a se - cret.

Outro
keyboard

‖: Em | Am | C | G D :‖

| Em   ‖

Move Away

Words & Music by
Brandon Flowers, Dave Keuning, Mark Stoermer & Ronnie Vannucci

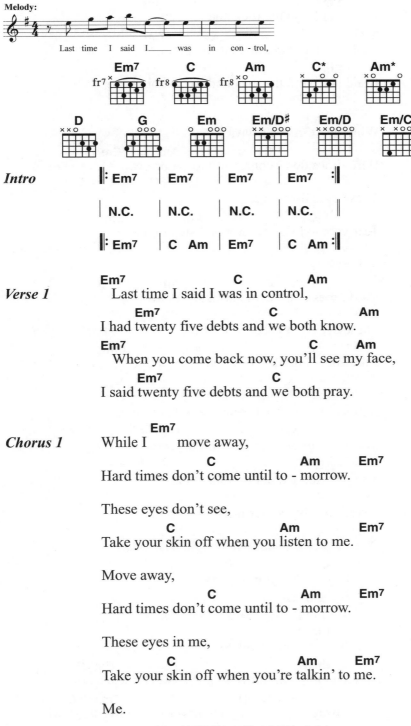

Melody:

Last time I said I___ was in con - trol,

Intro

‖: Em7 | Em7 | Em7 | Em7 :‖

| N.C. | N.C. | N.C. | N.C. ‖

‖: Em7 | C Am | Em7 | C Am :‖

Verse 1

Em7   C   Am
    Last time I said I was in control,

Em7   C   Am
I had twenty five debts and we both know.

Em7   C   Am
    When you come back now, you'll see my face,

Em7   C
I said twenty five debts and we both pray.

Chorus 1

            Em7
While I   move away,

                    C   Am   Em7
Hard times don't come until to - morrow.

These eyes don't see,

                    C   Am   Em7
Take your skin off when you listen to me.

Move away,

                    C   Am   Em7
Hard times don't come until to - morrow.

These eyes in me,

                    C   Am   Em7
Take your skin off when you're talkin' to me.

Me.

Verse 2

Em⁷   C   Am

Oh what a world that we both come in,

        Em⁷   C   Am

I said hold it to the rock and let it in.

Em⁷   C   Am

Oh what a world oh that we are in,

        Em⁷   C

I said hold it to the rock and we're both in.

Chorus 2

            Em⁷

While I   move away,

                    C   Am   Em⁷

Hard times don't come until to - morrow.

These eyes don't see,

               C   Am   Em⁷

Tear your skin off when you listen to me.

Move away,

                    C   Am   Em⁷

Hard times don't come until to - morrow.

These eyes don't see,

               C   Am   Em⁷

Take your skin off when you listen to me.

Bridge

                    C*

Don't worry a - bout what might have been,

              Am*   D

Just tell your woman that you're sorry,

          G

And you jumped out of your skin.

          Em

Listen closely to your motto.

            C

Don't worry a - bout what might have been,

       Am   D

Tell the jury that you're sorry,

          Em

And just jump out of your skin.

          Em/D♯

I wanna jump out of my skin,

         Em/D   Em/C♯

I wanna jump out of my skin and watch the clouds

C   Em Em/D♯   Em/D   Em/C♯ C

Move away,   I'm never gonna live it   down.

Link

        Em⁷   **C** **Am**
Move a - way.

        Em⁷   **C**   **Am**
Move a - way.   Move, move,

        Em⁷   **C** **Am**
Move a - way.

        Em⁷   **C** **Am**
Move a - way.

Chorus 3

Em⁷
  Move away,

          C   **Am**   **Em⁷**
Hard times don't come until to - morrow.

These eyes don't see,

       C   **Am**   **Em⁷**
Take your skin off when you listen to me.

Move away,

          C   **Am**   **Em⁷**
Hard times don't come until to - morrow.

                  C   **Am**   **Em⁷**
Move away, move away,   move away,   move a - way.——

Outro

‖: **Em⁷** | **C** **Am** | **Em⁷** | **C** **Am** :‖

| **Em**   ‖

Mr. Brightside

Words & Music by
Brandon Flowers, Dave Keuning, Mark Stoermer & Ronnie Vannucci

Melody:

Com - ing out of my cage___ and I've been do - ing just fine,

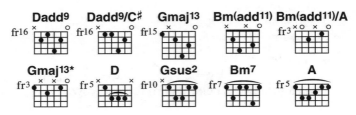

Tune guitar down a semitone

Intro | Dadd⁹ | Dadd⁹/C♯ | Gmaj¹³ | Gmaj¹³ ||

Verse 1

Dadd⁹   Dadd⁹/C♯   Gmaj¹³

Coming out of my cage and I've been doing just fine,

                                Dadd⁹

Gotta, gotta be down, because I want it all.

                Dadd⁹/C♯   Gmaj¹³

It started out with a kiss, how did it end up like this?

It was only a kiss, it was only a kiss.

Verse 2

Dadd⁹   Dadd⁹/C♯   Gmaj¹³

Now I'm falling a - sleep and she's calling a cab,

                             Dadd⁹

While he's having a smoke and she's taking a drag.

              Dadd⁹/C♯   Gmaj¹³

Now they're going to bed and my stomach is sick,

                             Bm(add¹¹)

And it's all in my head, but she's touching his chest, now.

             Bm(add¹¹)/A

He takes off her dress, now.

        Gmaj¹³*

Let me go.

Pre-chorus 1

Bm(add¹¹)   Bm(add¹¹)/A

And I just can't look, it's killing me,

      Gmaj¹³*

And taking control.

Chorus 1

D   Gsus2   Bm7
Jealousy, turning saints in - to the sea,

A   D
Swimming through sick lullabies,

Gsus2   Bm7
Choking on your alibis.

A   D
But it's just the price I pay,

Gsus2   Bm7
Destiny is calling me,

A   D   Gsus2
Open up my eager eyes,____

Bm7   A
  'Cause I'm Mr. Brightside.

Link 1   ‖: D | Gsus2 | Bm7 | A   :‖

Verse 3   As Verse 1

Verse 4   As Verse 2

Pre-chorus 2 As Pre-chorus 1

Chorus 2   As Chorus 1

Link 2   ‖: D | Gsus2 | Bm7 | A   :‖

Outro   ‖: D | Gsus2 | Bm7 | A   :‖ *Play 4 times*
  I never._____

My List

Words & Music by
Brandon Flowers, Dave Keuning, Mark Stoermer & Ronnie Vannucci

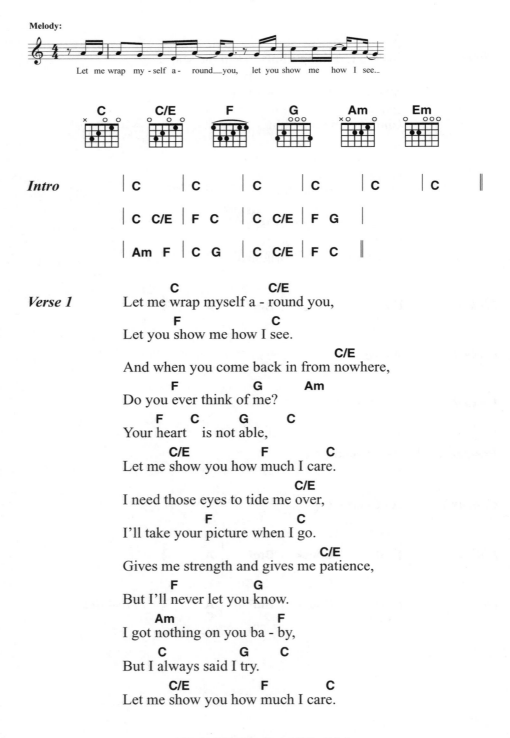

Melody:

Let me wrap my - self a - round___you, let you show me how I see...

C   C/E   F   G   Am   Em

Intro

| C | C | C | C | C | C ‖

| C C/E | F C | C C/E | F G |

| Am F | C G | C C/E | F C ‖

Verse 1

        C   C/E
Let me wrap myself a - round you,
        F   C
Let you show me how I see.
                       C/E
And when you come back in from nowhere,
        F   G   Am
Do you ever think of me?
      F   C   G   C
Your heart   is not able,
       C/E   F   C
Let me show you how much I care.
                   C/E
I need those eyes to tide me over,
          F   C
I'll take your picture when I go.
                 C/E
Gives me strength and gives me patience,
        F   G
But I'll never let you know.
    Am   F
I got nothing on you ba - by,
     C   G   C
But I always said I try.
      C/E   F   C
Let me show you how much I care.

Bridge

Am
Sometimes it gets hard,

And don't she know.

Link 1 ｜ **C**   ｜ **C**   ｜ **F Em** ｜ **Am G** ‖

Chorus 1

C
Don't give the ghost up, just clench your fist,
                 F   **Em**   **Am**   **G**
You should have known by now you were on my list.
C
Don't give the ghost up, just clench your fist,
                 F   **Em**   **Am**   **G**
You should have known by now you were on my list.
C
Don't give the ghost up, just clench your fist,
                 F   **Em**   **Am**   **G**
You should have known by now you were on my list.

Verse 2

Am   **F**   **C**   **G**   **Am**
  When your heart   is not able,
           F   **C**   **G**   **C**
And your pray - ers, they're not fables.
     C/E   **F**
Let me show you, (let me show you.)
     Am   **C**
Let me show you, (let me show you.)
     C/E   **F**   **C**
Let me show you how much I care, oh.

Outro ｜ **C C/E** ｜ **F C** ｜ **C C/E** ｜ **F C** ｜

       ｜ **C**   ｜ **C**   ｜ **C**   ｜ **C**   ｜ **C**   ‖

On Top

Words & Music by
Brandon Flowers, Dave Keuning, Mark Stoermer & Ronnie Vannucci

Melody:

Re - mem - ber Ri - o____ and get down,____

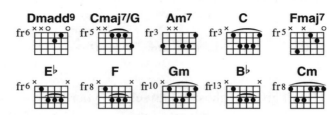

Tune guitar down a semitone

Intro
keyboard

| (Dm/A) | (Dm/A) | (C/G) | (C/G) |
| (Dm/F) | (Dm/F) | (C/G) | (Dm/A) |

‖: Dmadd9 | Dmadd9 | Cmaj7/G | Cmaj7/G :‖

Verse 1

    Dmadd9   Cmaj7/G
    Remember Rio and get down,

                Dmadd9
Like some other DJ, in some other town._____

              Cmaj7/G
She's been trying to tell me to hold tight,

             Dmadd9
But I've been waiting this whole night._____

      Cmaj7/G   Dmadd9
But I've been down a - cross a road or two,

      Cmaj7/G
But now I've found the velvet sun,

      Am7
That shines on me and you.

Chorus 1

         C   Fmaj7 Dmadd9
In the back, uh - ho, I can't crack, we're on top.

    Am7   C
It's just a shimmy and a shake, uh - ho,

         Fmaj7   Dmadd9
I can't fake, we're on top, we're on top.

Link 1 ‖ **Dmadd⁹** │ **Dmadd⁹** │ **Cmaj⁷/G** │ **Cmaj⁷/G** ‖

Verse 2

Dmadd⁹   **Cmaj⁷/G**
   The day is breaking, we're still here,

                    Dmadd⁹
Your body's shaking, and it's clear.

              Cmaj⁷/G
You really need it, so let go,

                Dmadd⁹
And let me feed it, but you know_____

         Cmaj⁷/G   **Dmadd⁹**
That I've been down a - cross a road or two.

         Cmaj⁷/G
But now I've found the velvet sun,

         Am⁷
That shines on me and you.

Chorus 2

         C   **Fmaj⁷**   **Dmadd⁹**
In the back, uh - ho, I can't crack, we're on top.

   Am⁷   **C**
It's just a shimmy and a shake, uh - ho,

       Fmaj⁷   **Dmadd⁹**
I can't fake, we're on top, we're on top.

      Am⁷   **C**
We bring the bump to the grind, uh - ho,

       Fmaj⁷   **Dmadd⁹**
I don't mind, we're on top.

   Am⁷   **C**
It's just a shimmy and a shake, uh - ho,

       Fmaj⁷   **Dmadd⁹**
I can't fake, we're on top, we're on top.

Bridge 1

E♭   **F**   **Gm** **B♭**   **E♭**
   And we don't mean to satis - fy to - night,

        F   **Gm**   **B♭**   **E♭**
So get your eyes off of my bride to - night.

        F   **Gm** **B♭**
'Cause I don't need to satis - fy to - night.

      Cm   **F**
It's like a cigarette in the mouth,

     Cm   **F**
Or a   handshake in the doorway,

   Cm   **F**   **Gm**
I look at you and smile because I'm fine.

Interlude ‖: Dm(add9) | Dm(add9) | Cmaj7/G | Cmaj7/G :‖

‖: Am7 | C | Fmaj7 | Dm(add9) :‖

| Dm(add9) | N.C. ‖

Bridge 2

E♭   F   Gm B♭ E♭
   And we don't mean to satis - fy to - night,

          F   Gm   B♭ E♭
So get your eyes off of my bride to - night.

          F   Gm   B♭
'Cause I don't need to satis - fy to - night.

      Cm   F
It's like a cigarette in the mouth,

     Cm   F
Or a   handshake in the doorway,

    Cm   F   Gm
I look at you and smile because I'm fine.

Read My Mind

Words & Music by
Brandon Flowers, Dave Keuning, Mark Stoermer & Ronnie Vannucci

Melody:

I'm on the corn - er of   Main___Street,

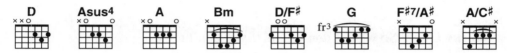

Tune guitar down a semitone

Intro   ‖: D | D | Asus⁴ | A   :‖

Verse 1
      D   Asus⁴
I'm on the corner of main street,

                     A   D
Just tryin' to keep it in line.

                                 Asus⁴
You say you wanna move on and,

                   A
You say I'm falling be - hind.

                D   Bm D/F♯ Asus⁴ A
Can you read my   mind?

                D   Bm D/F♯ Asus⁴ A
Can you read my   mind?

Verse 2
      D   Bm D/F♯   Asus⁴
I never really gave up   on,

                        A   D
Breakin' out of this two-star town.

                        Bm   D/F♯   Asus⁴
I got the green light, I got a little fight,

                           A
I'm gonna turn this thing a - round.

                D   Bm D/F♯ Asus⁴ A
Can you read my   mind?

                D   Bm D/F♯ Asus⁴ A
Can you read my   mind?

                                     G   D
Pre-chorus 1   The good old days, the honest man,
                                     A
                  The restless heart, the promised land.
                                     G   D
                  A subtle kiss that no one sees,
                                     A
                  A broken wrist and a big trapeze.

                                              G   D
Chorus 1   So what, I don't mind if you don't mind,
                                       A   F#7/A#   Bm
                  'Cause I don't shine if you don't shine.
                           D/F#   G   A
                  Be - fore you go can you read my mind?

                          D   Bm   D/F#   Asus4
Verse 3   It's funny how you just break down,
                                            A
                  Waitin' on some sign.
                          D   Bm   D/F#   Asus4
                  I pull up to the front of your drive - way,
                                            A
                  With magic soakin' my spine.
                                      D   Bm   D/F# Asus4 A
                  Can you read my mind?
                                      D   Bm   D/F# Asus4 A
                  Can you read my mind?

                                    G   D
Pre chorus 2   The teenage queen, the loaded gun,
                                    A
                  The drop dead dream, the chosen one.
                                    G   D
                  A southern drawl and a world un - seen,
                                  A
                  A city wall and a trampoline.

                                    G   D
Chorus 2   Oh well I don't mind if you don't mind,
                                       A   F#7/A#   Bm
                  'Cause I don't shine if you don't shine.
                           D/F#   G
                  Be - fore you jump,
                                       A   Bm
                  Tell me what you find when you read my mind.

Solo | Bm | A | G | D A/C# | Bm |
          (mind)
          | A | G | A | A | A   ‖

Pre-chorus 3
    A   G   D
   Slippin' in my faith until I fall,
             A
You never re - turned that call.
               G   D
Woman, open the door, don't let it sting,
              A
I wanna breathe that fire again.

Chorus 3   She said:
          Bm   A
"I don't mind if you don't mind,
          G   D
'Cause I don't shine if you don't shine."
       A/C#   Bm
Put your back on me.
           A
Put your back on me.
           G
Put your back on me.

Outro | D | Bm D/F# | Asus4 | A   ‖

D
  The stars are blazing,
   Bm   D/F#   Asus4   A
Like rebel diamonds cut out of the sun,
            D
Can you read my mind?

‖: D | Bm D/F# | Asus4 | A   :‖
  (mind)
| D   ‖

This River Is Wild

Words & Music by
Brandon Flowers & Mark Stoermer

Melody:

Leaves___ are fall - ing down on the beau - ti - ful ground,

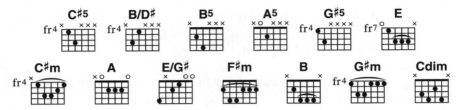

Tune guitar down a semitone

Intro
```
|    C#5 B/D# |

| B5 C#5 A5 | A5    B5 | G#5  A5 C#5 |    C#5 B/D# |

| B5 C#5 A5 | A5    B5 | G#5  A5 E  | E         ||
```

Verse 1
      E
Leaves are falling down on the beautiful ground,
          C#m
I heard a story from the man in red.
          E
He said the leaves are falling down, such a beautiful sound,
        C#m
Son, I think you better go ahead.

Verse 2
          E
But you always hold your head up high,
B5   **C#m**
'Cause it's a long, long, long way down.
        B5 **E**
This town was meant for passing through, but it ain't nothing new,
      B5   **C#m**
Now go and show them that the world stayed round.
B   **A**   **E/G#**
But it's a long, long, long way down.

Link 1 | F#m | C#m | E |

| A | E/G# | B   ‖
                  (You better)

            B   E
Verse 3   You better run for the hills before they burn,
            B5   C#m
            Listen to the sound of the world don't watch it turn.
                B5   F#m   G#m
            I just want to show you what I know,
                                A   B
            And catch you when the current lets you go.

                              E
Bridge 1 Or should I just get along with myself,
                B   C#m
            I never did get along with ev'rybody else.
            B   E
            I've been trying hard to do what's right,
                B   C#m   B   A
            But you know I could stay here all night,
                            E/G#   F#m
            And watch the clouds fall from the sky.
                B   E B C#m
            This river is wild.
                       B
            This river is wild.

Link 2 | E | E   B | C#m | C#m   B‖

            E
Verse 4   Run for the hills before they burn,
                B5   C#m   B5
            Listen to the sound of the world don't watch it turn but shake a little.
            E   B5
            Sometimes I'm nervous when I talk, I shake a little.
            C#m
            Sometimes I hate the line I walk.
                B5   F#m   G#m
            I just want to show you what I know,
                                A   B
            And catch you when the current lets you go.

Bridge 2

<pre>
                         E
Or should I just get along with myself,
     B   C#m
I never did get along with ev'rybody else.
B   E
I've been trying hard to do what's right,
     B   C#m   A
But you know I could stay here all night,
                                  F#m
And watch the clouds fall from the sky.
</pre>

Chorus 1

<pre>
B5   C#5 B/D#   B5 C#5 A5
   Because this river is   wild,
                 B5   G#5 A5 C#5
God speed you boy,
              B/D#   B5 C#5 A5 B5 G#5
This river is wild.
</pre>

Verse 5

<pre>
B5   E
Now Adam's taking bombs and he's stuck on his mom,
B   C#m
Because that bitch keeps trying to make him pray.
B   E
He's with the hippie in the park, coming over the dark,
B   C#m
Just trying to get some of that little girl play.
</pre>

Verse 6

<pre>
B   A   E/G#
You better run for the hills be - fore they burn,
          F#m   E
Listen to the sound of the world, don't watch it turn.
          F#m   G#m
I just want to show you what I know,
                        A   B
And catch you when the current lets you go.
</pre>

Bridge 3

                 E
Or should I get along with myself,

               A   **E/G♯**
I never did get along with ev'ry - body else.

                  B   **C♯m**
I've been trying hard to do what's right,

                E   **A**
But you know I could stay here   all night,

                              F♯m   **B** **A**
And watch the clouds fall from the sky.

                     B
And pay this hell in me to - night.

Chorus 2

                     C♯5 **B/D♯**   **B5** **C♯5** **A5**
Because this river is   wild,

                B5   **G♯5** **A5** **C♯5**
God speed you boy,

                  B/D♯   **B5** **C♯5** **A5** **B5** **G♯5** **B5** **C♯5**
This river is wild.

Chorus 3

                  B/D♯   **B5** **C♯5** **A5**
This river is wild,

                B5   **G♯5** **A5** **C♯5**
God speed you boy,

                  B/D♯   **B5** **C♯5** **A5** **B5** **G♯5**
This river is wild.

Outro

      B5   **E**   **A**
Now the cars are everywhere, face in dust at the fairground.

                                                E/G♯   **B**
I don't think I ever seen so many headlights.

                        Cdim **C♯m**
But there's something pulling me.

           E
The circus and the crew,

           B/D♯
Well they're just passing through,

          C♯m   **B**   **A**
Making sure the merry still goes round.

         B   **E**
But it's a long, long, long way down.

Romeo And Juliet

Words & Music by
Mark Knopfler

Melody:

A love struck__ Rom - e - o,

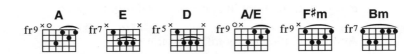

Intro | A E | D E | A E | D E |

| A E | D E | A/E E | D E ‖

Verse 1
      A   F#m   E   A

A lovestruck Romeo   sings a streetsuss sere - nade,

                             F#m   D   E

Laying everybody low   with a lovesong that he made.

                               D   E   A

He finds a streetlight   and steps out of the shade,

                               D   E

And says something like: "you and me babe, how a - bout it?"

Verse 2
      A   E

Juliet says "Hey it's Rome - o,

F#m   E A

You nearly gave me a heart attack."

                               E   F#m

He's underneath the window,   she's singing:

                              D   E

"Hey la, my boyfriend's back.

                                       D E   A   D

You shouldn't come around here   singing up at people like that,

                                 E

Anyway what you gonna do a - bout it?"

Chorus 1

      A E   **F♯m**   **E D**
Juli - et, the dice was loaded from the start,

      A E   **F♯m**   **E D**
And I bet,   and you ex - ploded in my heart.

         A   **E D F♯m**   **D   Bm**
And I for - get, I for - get   the movie song.

When you gonna realise it was
D   **E F♯m E**   **A**
Just that the time was wrong, Juli - et?

Link 1 | **A E** | **D E** | **A/E E** | **D E** ‖
          (-et)

          A   **F♯m**
Verse 3   Come up on different streets,

                             E A
And both were streets of shame.

                 E   **F♯m**
Both dirty, both mean,

                  D   **E**
Yes and the dream was just the same.

                       D
And I dreamed your dream for you,

      E   **A**   **D**
And now your dream is real.

How can you look at me as if I was
E
Just another one of your deals?

          A   **E   F♯m**
Verse 4   And you can fall for chains of silver,

                       E A
You can fall for chains of gold.

                 E   **F♯m**
You can fall for pretty stran - gers,

          D   **E**
And the promis - es they hold.

                  D E
You promised me everything,

      A   **D**
You promised me thick and thin, yeah.

Now you just say:

            E
"Oh Romeo, yeah, you know I used to have a scene with him."

65

Chorus 2

```
        A  E                  F♯m          E  D
Juli - et   when we made love you used to cry,
            A              E              F♯m      E  D
I said I love you like the stars above, I'll love you till I   die.
                A   E  D  F♯m              D      Bm
And there's a place for  us,    you know the movie song.

When you gonna realise it was
D                      F♯m  E    A
Just that the time was wrong, Juli - et?
```

Link 2

```
| A   E   | D   E   | A/E   E | D   E   ||
(-et)
```

Verse 5

```
A                     F♯m                      E  A
  I can't do the talk     like the talk on the T.V.
                           F♯m               D          E
And I can't do a love song     like the way it's meant to be.
                     D     E          A    D
I can't do everything   but I'd do anything for you,
                                 E
I can't do anything except be in love with you.
```

Verse 6

```
A                     F♯m                           A
  And all I do is miss you     and the way we used to be.
                             F♯m        D         E
And all do is keep the beat and     the bad company.
                     D E              A        D
And all I do is kiss you     through the bars of a rhyme.
                             E
Juliet I'd do the stars with you   anytime.
```

Chorus 3

```
        A  E                  F♯m          E  D
Juli - et   when we made love you used to cry,
            A              E              F♯m      E  D
I said I love you like the stars above, I'll love you till I   die.
                A   E  D  F♯m              D      Bm
And there's a place for  us,    you know the movie song.

When you gonna realise it was
D                      F♯m  E    A
Just that the time was wrong, Juli - et?
```

Link 3 | A E | D E | A/E E | D E |
(-et)
           | A E | D E | A/E E | D E ‖

Verse 7

A   F♯m   E   A
   And a lovestruck Romeo   sings a streetsuss serenade,
                          F♯m   D   E
Laying everybody low   with a lovesong that he made.
                                    D   E   A
He finds a convenient street - light,   steps out of the shade,
                              D   E   D E
Says something like: "you and me babe,   how about it?"

Outro   ‖: D | E | D | E   :‖

           | A   ‖

Ruby, Don't Take Your Love To Town

Words & Music by
Mel Tillis

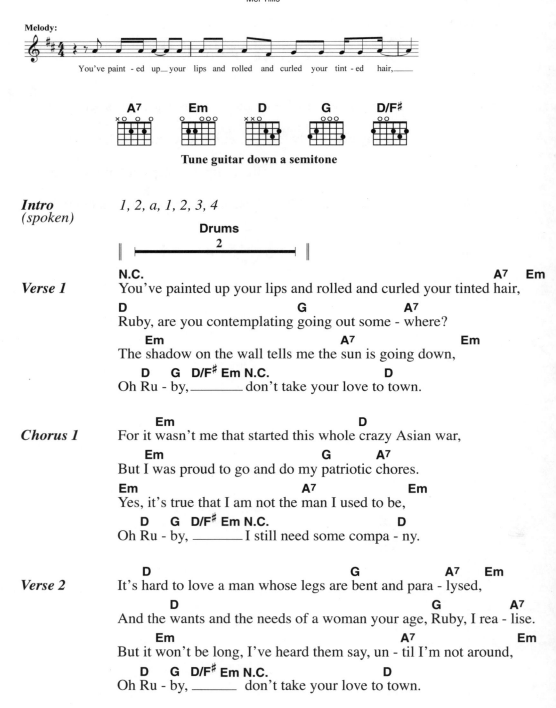

Tune guitar down a semitone

Intro
(spoken)

1, 2, a, 1, 2, 3, 4

Drums
2

Verse 1

N.C.   A7   Em
You've painted up your lips and rolled and curled your tinted hair,

D   G   A7
Ruby, are you contemplating going out some - where?

Em   A7   Em
The shadow on the wall tells me the sun is going down,

D   G   D/F# Em N.C.   D
Oh Ru - by, _____ don't take your love to town.

Chorus 1

          Em   D
For it wasn't me that started this whole crazy Asian war,

          Em   G   A7
But I was proud to go and do my patriotic chores.

Em   A7   Em
Yes, it's true that I am not the man I used to be,

D   G   D/F# Em N.C.   D
Oh Ru - by, _____ I still need some compa - ny.

Verse 2

          D   G   A7   Em
It's hard to love a man whose legs are bent and para - lysed,

          D   G   A7
And the wants and the needs of a woman your age, Ruby, I rea - lise.

          Em   A7   Em
But it won't be long, I've heard them say, un - til I'm not around,

D   G   D/F# Em N.C.   D
Oh Ru - by, _____ don't take your love to town.

Verse 3

    N.C.
She's leaving now 'cause I just heard the slamming of the door,

The way I know I've heard it slam one hundred times before.
    Em   **A⁷**   **Em**
And if I could move I'd get my gun and put her in the ground,
    D   **G** **D/F♯ Em N.C.**   **D**
Oh, Ru - by, _____ don't take your love to town.
    D   **G** **D/F♯ Em N.C.**
Oh, Ru - by, _____ for God sakes turn around. *(drums ad lib to fade)*

Sam's Town

Words & Music by
Brandon Flowers, Dave Keuning, Mark Stoermer & Ronnie Vannucci

No-bod-y ev-er had a dream 'round here, but

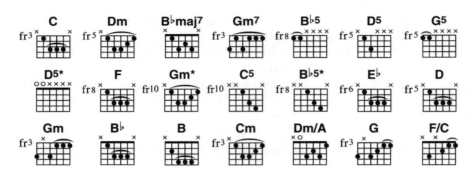

Intro

| C | C | C | C | |

| Dm | Dm | Dm | Dm | |

| B♭maj7 | B♭maj7 | B♭maj7 | B♭maj7 | |

| Gm7 | Gm7 | Gm7 | Gm7 | |

‖: B♭5 D5 | G5 | B♭5 G5 | D5* :‖

Verse 1

B♭5   D5   G5   D5
Nobody ever had a dream 'round here,
    B♭5   G5   D5*   G5
But I don't really mind that it's starting to get to me.
B♭5   D5   G5   D5
Nobody ever pulls the seams round here,
    B♭5   G5   D5*   G5
But I don't really mind that it's starting to get to me.

Pre-chorus 1

F   Gm*   C5   Bb5*
I've got this energy be - neath my feet,

    Eb   F   Dm   Eb
Like something under - ground's gonna come up and carry me.

F   Gm*   C5   Bb5
I've got this sentimental heart that beats,

    Eb   F   Dm   Eb   F
But I don't really mind and it's starting to get to me now.

Chorus 1

D   Gm
Why do you waste my time?

    Dm   Eb   F   Bb
Is the answer to the question on your mind.

    Gm   D
And I'm sick of all my judges,

  Eb   F   D
So scared of what they'll find.

    Gm   Dm
But I know that I can make it,

      Eb   F   Bb   B   Cm   Cm7 D
As long as somebody takes me home every now and then.

Link 1

         Bb5   D5   G5   Bb5 G5 D5*
Oh, have you ever seen the lights?

      Bb5   D5   G5   Bb5 G5 D5*
Have you ever seen the lights?

Verse 2

Bb6   D5   G5   D5
I took a shuttle on a shock-wave ride,

    Bb6   G5   D5*   G5
Where people on the pen pull the trigger for accolades.

Bb6   D5   G5   D5
I took a bullet, and I looked in - side and

Bb6   G5   D5*   G5
Running through my veins an A - merican masquerade.

Pre-chorus 2

F   Gm*   C5   Bb5*
I still re - member Grandma Dixie's wake,

    Eb   F   Dm   Eb
I'd never really known any - body to die before.

F   Gm*   C5   Bb5*
Red, white and blue upon a birthday cake,

    Eb   F   Dm   Eb   F
My brother, he was born on the fourth of Ju - ly and that's all.

Chorus 2

    D   Gm

So why do you waste my time?

          Dm   E♭   F   B♭

Is the answer to the question on your mind.

         Gm   D

And I'm sick of all my judges,

     E♭   F   D

So scared of letting me shine.

      Gm   Dm

But I know that I can make it,

        E♭   F   B♭   Dm/A   Gm

As long as somebody takes me home._____

Bridge

    G   Cm   Dm

   Every now and then.

             E♭   F

Every now and then.

Outro

         B♭ Dm/A Gm   E♭   Dm   F/C

You know I   see   London, I see Sam's Town,

B♭   Dm/A Gm   E♭   Dm F/C

Holds my   hand and lets my hair down.

B♭   Dm/A Gm   E♭   Dm   F/C

Rolls that   world right off my shoul - der,

B♭ Dm/A Gm   E♭   Dm F/C   G

I   see   London, I see Sam's Town now.

‖: G | G | G | G   :‖ *Play 3 times*

| G   ‖

Somebody Told Me

Words & Music by
Brandon Flowers, Dave Keuning, Mark Stoermer & Ronnie Vannucci

Melody:

Break - ing my back just to know your__ name.

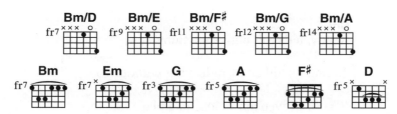

Tune guitar down a semitone

Intro
‖: Bm/D | Bm/E | Bm/F♯ | Bm/G :‖

| Bm/F♯ Bm/G | Bm/A Bm/G | Bm/F♯ Bm/G | Bm/F♯ ‖

Bm
Verse 1 Breaking my back just to know your name,

                                   Em   **G**
Seventeen tracks and I've had it with this game.

          Bm
I'm breaking my back just to know your name,

But heaven ain't close in a place like this.

                                    Em   **G**
Anything goes but don't blink you might miss,

         Bm
'Cause heaven ain't close in a place like this.

I said (uh) heaven ain't close in a place like this.

G   **A**   **Bm**
Pre-chorus 1 Bring it back down, bring it back down to - night, (hoo, hoo.)
G   **A**
Never thought I'd let a rumour ruin my moonlight.

Chorus 1

N.C.   Bm   G
Well somebody told me you had a boyfriend,

                  A   F♯   Bm
Who looked like a girlfriend that I had in February of last year.

          G   A   F♯ N.C.
It's not confi - dential, I've got po - tential.

Verse 2

Bm
Ready, let's roll onto something new,

                                        Em   G
Taking its toll and I'm leaving without you.

          Bm
'Cause heaven ain't close in a place like this.

I said (uh) heaven ain't close in a place like this.

Pre-chorus 2

G   A   Bm
   Bring it back down, bring it back down to - night, (hoo, hoo.)

G   A
Never thought I'd let a rumour ruin my moonlight.

Chorus 2

N.C.   Bm   G
Well somebody told me you had a boyfriend,

                  A   F♯   Bm
Who looked like a girlfriend that I had in February of last year.

          G   A
It's not confi - dential, I've got po - tential.

             F♯
A rushin', a rushin' around.

Bridge

G   A   Em
Pace your - self for me,___

          D   Em G
I said maybe baby please.

                 Bm   A   G
But I just don't know now,____ (maybe baby,)

          F♯   A
When all I wanna do is try.

Chorus 3
                    Bm   **G**
Well somebody told me you had a boyfriend,

                     A   **F♯**   **Bm**
Who looked like a girlfriend that I had in February of last year.

             G   **A**
It's not confi - dential, I've got po - tential.

                 F♯
A rushin', a rushin' around.

Chorus 4
                       Bm   **G**
‖: Well somebody told me you had a boyfriend,

                     A   **F♯**   **Bm**
Who looked like a girlfriend that I had in February of last year.

             G   **A**
It's not confi - dential, I've got po - tential.

                 F♯
A rushin', a rushin' around. :‖

   | **Bm**   ‖

Show You How

Words & Music by
Brandon Flowers, Dave Keuning, Mark Stoermer & Ronnie Vannucci

I got - ta tell ya, I'll make it bet - ter,

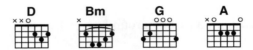

Intro

N.C.
You have one saved message.

To listen to your messages, press one, to ch-

First saved message. Message sent yesterday at 10:41 p.m.

Ha.

Verse 1

       D   Bm   G
I gotta tell ya I'll make it better,
       A   D   Bm   G
But I know there's somethin' I needed to say.
         A   D   Bm   G
When I was out, though, maybe you were better a - lone,
       A   D   Bm G
I know I'll make it home.

Verse 2

       A   D
She told me sweet thing,
Bm G   A
Run a labour in your shoes.
D   Bm   G
Touch me till I follow in love,
      A
I wanna help her.
D   Bm   G
Maybe we were better alone,
      A   D Bm G A
I wanna show you how.

Link 1

| D Bm | G A | D Bm | G A |

| D Bm | G A | D Bm | G A ‖

(And then we)

Verse 3

             D
And then we walked out,

Bm   **G**
Make it made now.

 A   **D**   **Bm**   **G**
I said I want it but I never alone.

         A
I wanna show you,

D   **Bm**   **G**
Maybe we were somethin' un - cool,

       A   **D** **Bm** **G** **A**
I wanna make you sing.

Link 2

‖: D Bm | G A | D Bm | G A :‖

         Uh uh oh.   Uh uh oh.

Outro

| D Bm | G A | D Bm | G A |

| D Bm | G A | D Bm/D | G/D A/D |

| D | ‖

Smile Like You Mean It

Words & Music by
Brandon Flowers, Dave Keuning, Mark Stoermer & Ronnie Vannucci

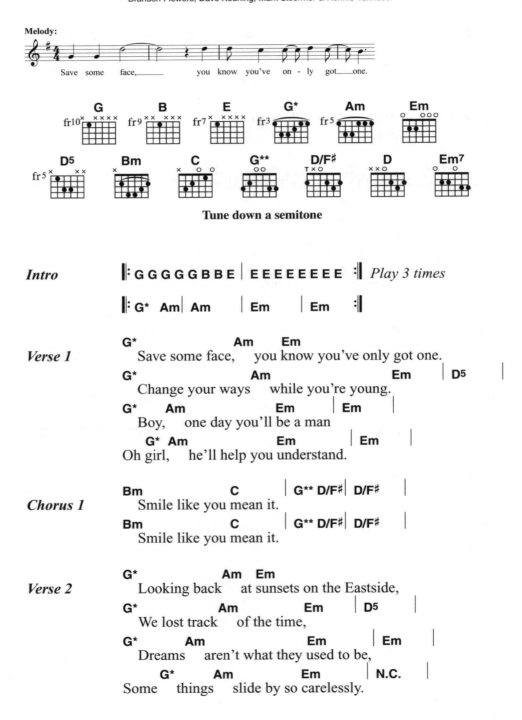

Tune down a semitone

Intro ‖: G G G G G B B E | E E E E E E E E :‖ *Play 3 times*

‖: G* Am | Am | Em | Em :‖

Verse 1
G*   Am   Em
Save some face,   you know you've only got one.
G*   Am   Em | D5 |
Change your ways   while you're young.
G*   Am   Em | Em |
Boy,   one day you'll be a man
   G* Am   Em | Em |
Oh girl,   he'll help you understand.

Chorus 1
Bm   C | G** D/F♯| D/F♯ |
Smile like you mean it.
Bm   C | G** D/F♯| D/F♯ |
Smile like you mean it.

Verse 2
G*   Am Em
Looking back   at sunsets on the Eastside,
G*   Am   Em | D5 |
We lost track   of the time,
G*   Am   Em | Em |
Dreams   aren't what they used to be,
   G*   Am   Em | N.C. |
Some   things   slide by so carelessly.

Chorus 2   As Chorus 1

Solo   ‖: D Em7 | Em7 | C | C :‖

           Am
Bridge   And someone is calling my name,
                  Em
    From the back of the restaurant.
           Am
    And someone is playing a game,
              Em
    In the house that I grew up in.
           Am
    And someone will drive her around,
              Bm
    Down the same streets that I did,
            C | D | D |
    On the same streets that I did.

         Bm   C   G**   D/F♯
Chorus 3   ‖: Smile like you mean it.   :‖   *Play 4 times*

         G* Am   Em
Outro   ‖:   Oh no, oh no, no, no. :‖

    | G* | Am | Em | Em |

    | G* | Am | Em   ‖

Uncle Jonny

Words & Music by
Brandon Flowers, Dave Keuning, Mark Stoermer & Ronnie Vannucci

Melody:

When ev-'ry-bod-y else re-frained,_____ my Un-cle Jon-ny did co-caine._____

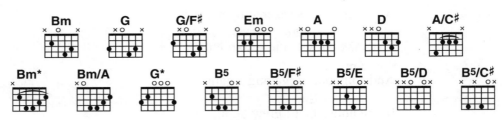

Tune guitar down a semitone

Intro | Bm | Bm | Bm | Bm   ‖

‖: Bm | Bm | Bm | G G/F♯ :‖

Verse 1
        Bm
When ev'rybody else refrained,
                G   **G/F♯**
My uncle Jonny did co - caine.
       Bm
He's con - vinced himself right in his brain,
               G
That it helps to take away the pain.
G/F♯ **Bm**
Hey, Jonny.
G   **G/F♯**
   Hey what you say Jonny?

Verse 2
      Bm
I wanna go out tonight,
               G   **G/F♯**
Come a little closer to the city lights.
      Bm
Levi - tation ain't your only friend,
              G   **G/F♯**
Levitation coming back a - gain.

Chorus 1

                     G   **G/F♯**
You feel a burning in your body core,

       Em
It's a yearning that you can't ignore.

       Bm
And I wanna go out tonight,

       A
S - s - s - superman and hold on tight.

              G   **A**
He's con - vinced himself right in his brain,

        D   **A/C♯**   **Bm***
That it helps to take a - way the pain.

Bm/A G*   **A**
Hey,   Jonny.

Hey what you say Jonny?

Link 1 | **Bm** | **Bm** | **Bm** | **G** **G/F♯** ‖

Verse 3

       Bm
My appetite ain't got no heart,

                               G   **G/F♯**
I said my appetite ain't got no heart.

        Bm
Shocking people when you feel that pull,

                              G   **G/F♯**
Shock 'em, drop 'em when you know it's full.

Chorus 2

              G   **G/F♯**
I feel a burning in my body core,

       Em
It's a yearning that you can't ignore.

      Bm
I gotta go out tonight,

              A
Hey Jonny I got faith in you man.

I mean it, it's gonna be all right.

             G   **A**
He's con - vinced himself right in his brain,

        D   **A/C♯**   **Bm***
That it helps to take a - way the pain.

Bm/A G*   **A**
Hey,   Jonny.

Hey what you say Jonny?

Bridge

    D   **A/C♯**   **Bm***
Tell us what's going on,

        Bm/A   **G***   **A**
Feels like everything's wrong.

                  D
Hey what you say Jonny?

    A/C♯   **Bm***
If the future is real,

    Bm/A   **G***   **A**
Jonny, you've got to heal.

Hey what you say Jonny?

Link 2   𝄆 **Bm** | **Bm** | **Bm** | **G** **G/F♯** 𝄇

    B5
Outro   When everybody else refrained,

    B5/F♯   **B5/E**   **B5/D** **B5/C♯** **Bm**
My uncle Jonny did co - caine.

When You Were Young

Words & Music by
Brandon Flowers, Dave Keuning, Mark Stoermer & Ronnie Vannucci

Melody:

You sit there_ in your heart - ache,

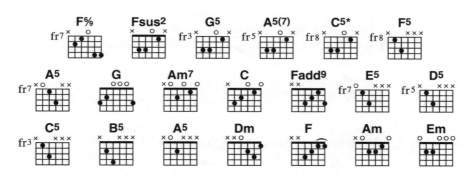

Tune guitar down a semitone

Intro | F% | F%   ‖

‖: Fsus2 | G5 A5(7) | C5* | Fsus2 :‖

Verse 1
    F5   **G5** **A5**
You sit there in your heart - ache,
    C5   **F5**
    Waiting on some beautiful boy to,
                  G5 **A5**
To save you from your old ways.
    C5
    You play forgiveness,
      F5
Watch it now, here he comes!

Pre-chorus 1
    Fsus2   **G** **Am7**
He doesn't look a thing like Je - sus,
        C
But he talks like a gentleman,
Fadd9
Like you imagined.

Chorus 1
      Fsus2 **G5**   **A5(7)** **C5*** **Fsus2**
When you were young.

Verse 2

F5
Can we climb this mountain?

G5　　　**A5**
　I don't know,

C5　　　　　　**F5**
　Higher now than ever before,

　　　　　　　　　　　　G5　**A5**
I know we can make it if we take it slow.

C5
　That's takin' easy,

　　F5
Ea - sy now, watch it go!

Pre-chorus 2

　　　　Fsus2　　　　　　　　**G**　**Am7**
We're burning down the highway sky - line,

　　　C　　　　　　**Fadd9**
On the back of a hurricane that started turning,

Chorus 2

　　　Fsus2　**G5**　　**A5(7) C5* Fsus2**
When you were young.
Fsus2　　　　　**G5**　　**A5(7) C5* Fsus2**
　When you were young.

Bridge

Fsus2　　　　　　　　　　　**G**
　And sometimes you close your eyes,

　　Am7　　　**C**　　　　　**Fadd9**
And see the place where you used to live,

　　Fsus2　**G5**
When you　　were young.

Instr.

‖: **Fsus2**　｜**G5 A5(7)** ｜ **C5***　　｜ **Fsus2**　:‖

｜ **F5 E5 D5** ｜ **C5 B5 A5** ｜ **G5**　　｜ **G5**　　‖

Middle 8

　　　　　　　Dm
They say the devil's water, it ain't so sweet,

　　F　　　　　　　**Am**
You don't have to drink right now,

Em　　　　　　**Am**
　But you can dip your feet,

G
　Every once in a little while.

Link ‖: **Fsus2** | **G5 A5(7)** | **C5** | **Fsus2** :‖

Verse 3

F5   **G5**   **A5**
You sit there in your heart - ache,

C5   **F5**
    Waiting on some beautiful boy to,

                       G5 A5
To save you from your old ways.

C5
    You play forgiveness,

       F5
Watch it now, here he comes!

Pre-chorus 3

     Fsus2   **G Am7**
He doesn't look a thing like Je - sus,

         C
But he talks like a gentleman,

Fadd9
Like you imagined.

Chorus 3

     Fsus2   **G5**   **A5(7)**
When you were young.

C5   **Fsus2**
    Talks like a gentlemen, like you imagined,

     Fsus2   **G5**   **A5(7) C5 Fsus2**
When you were young.

                          G5 A5(7) C5
I said he doesn't look a thing like Je - sus,

Fsus2   **G5 A5(7) C5**
    He doesn't look a thing like Je - sus,

Fsus2
    But more than you'll ever know.

Outro | **F5 E5 D5** | **C5 B5 A5** | **G5**   ‖

Under The Gun

Words & Music by
Brandon Flowers, Dave Keuning, Mark Stoermer & Ronnie Vannucci

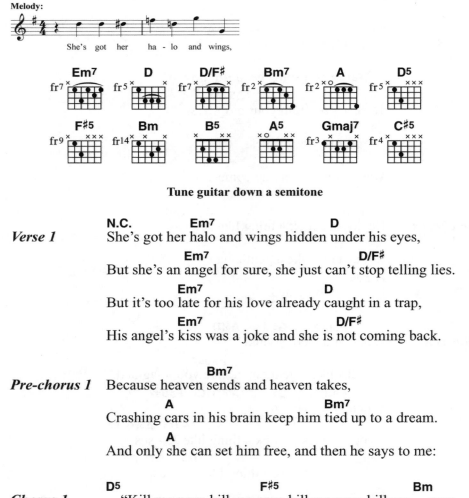

Tune guitar down a semitone

Verse 1
      N.C.   Em7   D
She's got her halo and wings hidden under his eyes,
             Em7   D/F♯
But she's an angel for sure, she just can't stop telling lies.
           Em7   D
But it's too late for his love already caught in a trap,
           Em7   D/F♯
His angel's kiss was a joke and she is not coming back.

Pre-chorus 1
           Bm7
Because heaven sends and heaven takes,
          A   Bm7
Crashing cars in his brain keep him tied up to a dream.
          A
And only she can set him free, and then he says to me:

Chorus 1
D5   F♯5   Bm
"Kill me now, kill me now, kill me now, kill me   now.
D5   F♯5   Bm
Kill me now, kill me now, kill me now, kill me   now."

Verse 2
            Em7   D
Yeah, she's got a criminal mind, he's got a reason to pray,
         Em7   D/F♯
His life is under the gun, he's got to hold every day.
         Em7   D
Now he just wants to wake up yeah, just to prove it's a dream,
          Em7   D/F♯
'Cause she's an angel for sure, but that remains to be seen.

Pre-chorus 2   As Pre-chorus 1

Chorus 2   As Chorus 1

Bridge

B5   A5   B5
Stupid on the streets of London, James Dean in the rain.

              A5   Gmaj7
Without her   it's not the same, the same, the same,

         A
But it's alright.

Pre-chorus 3

N.C.   Bm7
Because heaven sends and heaven takes,

              A   Bm7
Crashing cars in his brain keep him tied up to a dream.

              A
And only she can set him free, and then he says to me:

Chorus 3

D5   F#5   Bm
  "Kill me now, kill me now, kill me now, kill me   now.

D5   F#5   Bm
  Kill me now, kill me now, kill me now, kill me   now.

   C#5   D5
A - gain and a - gain."

Where The White Boys Dance

Words & Music by
Brandon Flowers, Dave Keuning, Mark Stoermer & Ronnie Vannucci

Melody:

Take me to the place where the white boys dance,

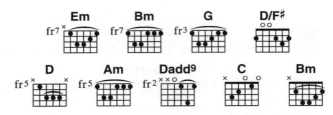

Tune guitar down a semitone

Chorus 1

N.C.
Take me to the place where the white boys dance,

Take me to the place where they run and play.

My baby is gone, you might have a chance,

Just take me to the place where the white boys dance.

Link 1   ‖: Em | Em | Em | Em :‖

Verse 1

Bm   G   Bm   Em
    They hug in silence,   as the sun sets   on their empty street.
           G   D/F♯ Em   D
Their sus - picions well they're rising high.
      Am   Dadd⁹ D Bm
And the man who sweeps them off she doesn't need.
            G   Bm   E
She walks inside and,   pours a strong one,   put her mind at ease.
     G   D/F♯ Em   D
It's the calm before an - other storm,
       Am   Dadd⁹   D
And her brain shifts from the whisky to the keys.

Chorus 2

Em
Take me to the place where the white boys dance,

Take me to the place where they run and play.

(cont.)

My baby is gone, you might have a chance,

                                    N.C.

Just take me to the place where the white boys dance.

Verse 2

    Bm   **G**   **Bm**

  Her heart is racing,   she phones a friend and says:

        Em

"I'm in an awful place.

    G   **D/F♯**   **Em**   **D**

That fool's been messin' round on me,

   Am   **Dadd9** **D** **Bm**

I've seen it in his eyes and on his face."

              G   **Bm**

Hold on a minute,   you're talking crazy,

            Em

Don't be that jealous girl.

    G   **D/F♯**   **Em**   **D**

Just tell Levon you need an hour or two,

    Am   **Dadd9**   **D**

'Cause we're gonna go and change somebody's world.

Chorus 3

Em

Take me to the place where the white boys dance.

Take me to the place where they run and play,

My baby is gone, you might have a chance,

Just take me to the place where the white boys dance.

Solo

G	Am	Em	D	
G	Am	Em	D	‖

Bridge

       G   **Am**   **Em** **D**

It's the calm before another storm.

       Em   **D**

It's the calm before another storm,

      C   **Bm**

And her brain shifts from the whisky to the keys.

Chorus 4

Em

Take me to the place where the white boys dance,

Take me to the place where they run and play.

My baby is gone, you might have a chance,

                                N.C.

Just take me to the place where the white boys dance.

Who Let You Go

Words & Music by
Brandon Flowers, Dave Keuning, Mark Stoermer & Ronnie Vannucci

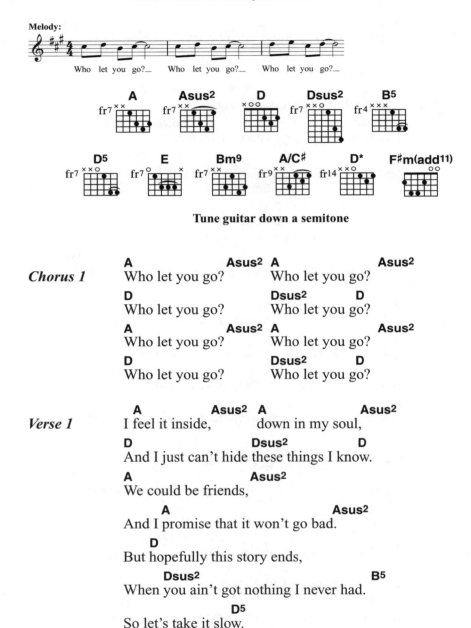

Tune guitar down a semitone

Chorus 1

A   Asus² A   Asus²
Who let you go?   Who let you go?

D   Dsus²   D
Who let you go?   Who let you go?

A   Asus² A   Asus²
Who let you go?   Who let you go?

D   Dsus²   D
Who let you go?   Who let you go?

Verse 1

       A   Asus² A   Asus²
I feel it inside,   down in my soul,

D   Dsus²   D
And I just can't hide these things I know.

A   Asus²
We could be friends,

        A   Asus²
And I promise that it won't go bad.

       D
But hopefully this story ends,

        Dsus²   B5
When you ain't got nothing I never had.

                D5
So let's take it slow.

Chorus 2

A   Asus² A   Asus²
Who let you go?   Who let you go?

D   Dsus²   D
Who let you go?   Who let you go?

Verse 2

A   **Asus2**
Someone must have loved you,

A   **Asus2**
Not the way that I do.

       D
You're missing what I'm trying to say,

      Dsus2   **D**
Ain't nothing getting in my way.

    A
So tell me that's fantastic,

                   Bm9   **A/C♯** **D5**
And promise me, you'll al - ways sigh.

                D*
I find it so romantic,

                B5
When you look into my beautiful eyes

      D5
And lose control.

Chorus 3

A   **Asus2** **A**   **Asus2**
Who let you go?   Who let you go?

D   **Dsus2**   **D**
Who let you go?   Who let you go?

A   **Asus2** **A**   **Asus2**
Who let you go?   Who let you go?

D   **Dsus2**   **D**
Who let you go?   Who let you go?

Bridge

     E   **D**
I don't know what it means, but I've been wondering,

F♯m(add11)
Who let you go?

      E   **D**
And honey, when you walk my way it makes me wanna say...

Outro

A   **Asus2** **A** **Asus2**
"Oh."

D   **Dsus2**   **D**
Sha-la-la, sha-la-la,

||: **A**   **Asus2** **A**   **Asus2**
    Sha-la-la,   sha-la-la,

D   **Dsus2**   **D**
Sha-la-la, sha-la-la, la-la-la-la. :|| *Repeat ad lib to fade*

Why Don't You Find Out For Yourself

Words & Music by
Morrissey & Alain Whyte

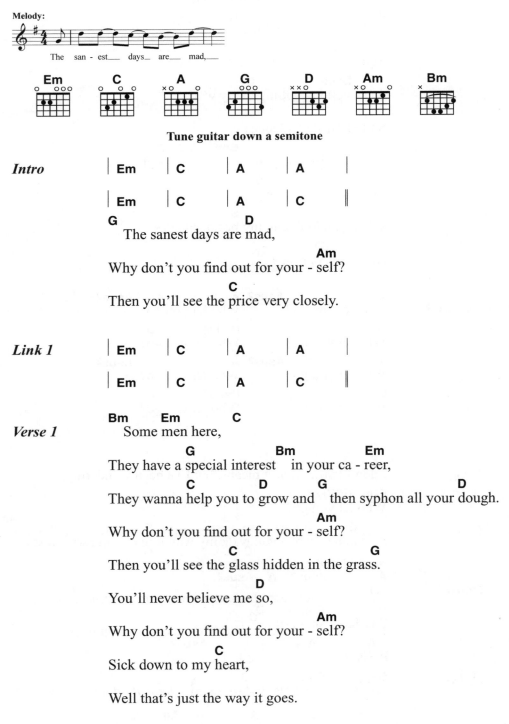

Melody:

The san-est days are mad,

Em C A G D Am Bm

Tune guitar down a semitone

Intro | Em | C | A | A |

| Em | C | A | C ||

G   D
The sanest days are mad,

                                             Am
Why don't you find out for your - self?

                         C
Then you'll see the price very closely.

Link 1 | Em | C | A | A |

| Em | C | A | C ||

Bm   Em   C
Verse 1   Some men here,

                    G   Bm   Em
They have a special interest   in your ca - reer,

                    C   D   G   D
They wanna help you to grow and   then syphon all your dough.

                                             Am
Why don't you find out for your - self?

                         C   G
Then you'll see the glass hidden in the grass.

                         D
You'll never believe me so,

                                             Am
Why don't you find out for your - self?

                         C
Sick down to my heart,

Well that's just the way it goes.

Link 2

| Em | C | A | A |
| Em | C | A | C ‖

Verse 2

     Bm   Em   C
    Some men here,

                  G   Bm   Em
They know the full extent of   your distress.

           C   D   G
They kneel and pray and they   say:

           D
"Long may it last."

                               Am
Why don't you find out for your - self?

                     C   G
Then you'll see the glass hidden in the grass.

                   D   Am
Back seats come and go for which you must al - low.

              C
Sick down to my heart,

Well that's just the way it goes.

Interlude

Em	C	A	A
Em	C	A	C
G	G	A	A
C	C	D	D ‖

Verse 3

     G   D   Am
    Don't rake up my mis - takes, I know exactly what they are.

                     C   G
And what do you do?   Well, you just sit there.

                      D   Am
I've been stabbed in the back so many, many times,

                    C
I don't have any skin,   but that's just the way it goes.

Outro

| Em | C | A | A |
| Em | C | A | C Am | G ‖

93

Why Do I Keep Counting?

Words & Music by
Brandon Flowers, Dave Keuning, Mark Stoermer & Ronnie Vannucci

Melody:

There's a plane and I am fly - ing,

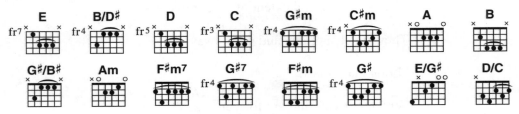

Tune guitar down a semitone

Verse 1

       (E)   (B/D♯) (D)
There's a plane and I am flying,

             (C)   E
There's a mountain waiting for me.

                 B/D♯   D
Oh these years have been so trying,

          C
I don't know if I can use them.

     E   B/D♯
Am I strong enough to be the one?

                  D
(Am I strong enough to be the one?)

         C
Will I live to have some children? (Children.)

Chorus 1

E
Help me get down, I can make it, help me get down.
B/D♯
Help me get down, I can make it, help me get down.
    G♯m   C♯m
If I only knew the answer,
       A   B   A   B
I wouldn't be bothering you, fath - er.

Chorus 2

    E
Help me get down, I can make it, help me get down.
    B   **G♯/B♯**
Help me get down, I can make it, help me get down.
      C♯m   **B**
If I only knew the answer,
         A   **Am**
And if all our days are numbered,
              E
Then why do I keep counting?

Link | **E** | **E** | **E** | **E**   ‖
(counting?)

    C♯m   **A**   **B/D♯**   **G♯m**
Bridge 1   My sugar sweet is so at - tainable,
               C♯m   **F♯m**   **B**
This be - haviour's so   unex - plainable.
        C♯m   **A**   **B/D♯**   **G♯m**
The days just slip and slide like they always did,
             C♯m   **F♯m⁷**   **F♯m**   **B**
The trouble is my head   won't let me forget.
    G♯7   **C♯m**
I took one last good look a - round,
      B   **A**   **E/G♯**   **F♯m**
(So many un - usual sounds,)
        G♯m   **A**   **B**
I gotta get my feet on the   ground.

    E
Chorus 3   Help me get down, I can make it. (Ah.)___

Help me get down, I can make it, help me get down.
B/D♯
Help me get down, I can make it, help me get down.
      G♯m   **C♯m**
If I only knew the answer,
                 A   **B** **A** **B**
I wouldn't be bothering you, fa - ther.

95

Chorus 4

    E
Help me get down I can make it, help me get down.
B   **G♯/B♯**
Help me get down I can make it, help me get down.
   C♯m   **B**
If I only knew the answer,
      A   **Am**
And if all our days are numbered.

           E
Chorus 5   Would you help me get down?

(I can make it, help me get down.)
B   **G♯/B♯**
(Help me get down, I can make it, help me get down.)
   C♯m   **B**
If I only knew the answer,
   E   **A**
If I change my way of living,
   F♯m   **B**
And if I pave my streets with good times,
    E   **A**
Will the mountain keep on giving?
   C♯m   **B**   **A**   **D/C**
And if all of our days are num - bered,
           C♯m   **A** **C** **E**
Then why do I keep counting?